МЭРИ ХИГГИНС КЛАРК

АЛАФЕР БЁРК

ВСЯ В БЕЛОМ

МОСКВА
2017

УДК 821.111-312.4(73)
ББК 84(7Сое)-44
Х42

Иллюстрация на переплете *В. Ненова*

Хиггинс Кларк, Мэри.

Х42 Вся в белом / Мэри Хиггинс Кларк, Алафер Бёрк ; [пер. с англ. Ю. Р. Соколова]. – Москва : Издательство «Э», 2017. – 320 с.

ISBN 978-5-699-93804-9

Готовя новый выпуск телешоу «Под подозрением», посвященного давним нераскрытым преступлениям, Лори Моран берется за случай, который, казалось бы, «неформат» для ее передачи: пять лет назад из-под венца пропала невеста. Неизвестно даже, было ли совершено преступление. Может быть, женщину не убили, не держат в плену и она абсолютно счастливо живет где-нибудь на другом конце света. Но горе матери, все эти годы живущей поисками дочери, убеждает создательницу шоу посвятить выпуск несостоявшейся свадьбе.

Там, где должно было пройти торжество, собираются ключевые фигуры отмененной церемонии. Среди них жених, которого многие считают главным подозреваемым: невеста завещала ему свое немалое состояние. С тех пор он успел жениться на ее подруге, страстно влюбленной в него еще с колледжа...

УДК 821.111-312.4(73)
ББК 84(7Сое)-44

ISBN 978-5-699-93804-9

Памяти Джоан Най,
милой подруги с тех дней,
что мы провели вместе
в Академии Вилла-Мария.
С любовью.
Мэри

Ричарду и Джону
Алафер

БЛАГОДАРНОСТИ

Теперь мы уже знаем преступника! И все прочие персонажи нашей истории больше не находятся «под подозрением».

А я снова получила удовольствие от своего сотрудничества с Алафер Берк, коллегой по писательскому ремеслу. Объединять творческие усилия — такое интересное занятие!

Нашим наставником на этом пути вновь была Мэрисью Руччи, главный редактор издательства «Simon & Schuster». Тысяча благодарностей ей за помощь.

Спасибо доктору Фредерику Джаккарино за полезную консультацию по медицинским аспектам повествования.

Вперед, вперед, вперед, команда! В моем случае команда — это «выдающийся во всех отношениях супруг», Джон Конхини, дети и моя правая рука, Надин Петри. Они всегда рядом, всегда готовы поддержать и помочь основательным советом. *Благодарю вас, мерси, грасиас — и так далее, и так далее, и так далее.*

Спасибо и вам, мои дорогие читатели. Я всегда думаю о вас, когда пишу. Если уж вы решили читать мои книги, я хочу, чтобы занятие это доставило вам удовольствие.

Благодарю и благословляю,

Мэри

Невеста, светясь, предстает перед ним —
Вся в белом перед нареченным своим[1].

ПРОЛОГ

Это случилось в Палм-Бич в середине апреля, в четверг, в отеле «Гранд Виктория». Аманда Пирс, будущая невеста, примеряла свадебное платье с помощью своей давней подруги Кейт Фултон.

— Слава богу, как раз! — проговорила она, когда застежка «молнии» наконец преодолела коварную точку чуть выше талии.

— Не думаю, чтобы ты хоть на самую малость могла предположить, что оно тебе не подойдет, — деловитым тоном произнесла Кейт.

— Ну, после того как я столько сбросила в прошлом году, на талии уже могло что-то отложиться. И я решила, что лучше будет проверить сегодня, чем в субботу. А то мы с тобой еще возились бы с «молнией», когда мне уже было бы пора идти к алтарю.

— Не возились бы, — с пылом возразила подруга невесты. — Не понимаю, почему ты так нервничаешь. Посмотри на себя в зеркало. Ты выглядишь великолепно.

Пирс посмотрела на свое отражение:

— Очаровательное платье, правда?

---

[1] Слова свадебного марша, известного в англоговорящих странах как «Here comes the bride»; под него невеста обычно идет к алтарю.

Она вспомнила, как перемерила больше сотни платьев, обойдя на Манхэттене лучшие магазины для новобрачных, и наконец наткнулась на это самое в крошечной лавчонке на Бруклин-Хайтс. Шелк, белый, но не совсем, пышный лиф и ручной работы кружева по корсажу — именно так она и представляла себе свой свадебный наряд.

И через сорок три часа она пойдет в нем к алтарю.

— Более чем, — объявила Кейт. — Но почему ты такая грустная?

Аманда снова посмотрела в зеркало. И увидела в нем блондинку — лицо сердечком, широко расставленные голубые глаза, длинные ресницы, губы цвета малины. Она прекрасно понимала, что на природу ей жаловаться не приходится. Однако ее подруга была права. Она действительно казалась грустной. Точнее, не грустной, но встревоженной. Платье сидит превосходно, напомнила себе невеста. Доброе предзнаменование, так ведь? Она заставила себя улыбнуться.

— Просто никак не могу понять, сколько можно будет съесть сегодня вечером, чтобы все же влезть в это платье в субботу.

Рассмеявшись, Фултон похлопала себя по чуть наметившемуся животику.

— Кому-кому, Аманда, а мне голову не морочь. Скажи честно: с тобой все в порядке? Или ты все еще думаешь о нашем вчерашнем разговоре?

Пирс взмахнула рукой и ответила, понимая, что говорит неправду:

— Ни одной задней мысли. А теперь помоги мне выбраться из платья. Все, должно быть, уже готовы спуститься вниз, к обеду.

Десять минут спустя, оставшись в одиночестве в своей спальне, уже в легком голубом полотняном сарафане, Аманда вставила в ухо сережку и бросила последний взгляд на аккуратно расстеленное на постели свадебное платье. На кружевах под воротником осталось пятнышко от косметики. Она старалась быть осторожной, однако теперь едва заметное пятнышко смотрело прямо на нее. Невеста понимала, что пятно сойдет, однако не оно ли и есть тот знак, которого она ждет?

Почти все последние два дня она провела чужаком на назначенной ею же самой свадьбе, старательно отыскивая подсказки, должна та состояться или нет. И, глядя на это вдруг появившееся на платье пятнышко, девушка дала обет — не жениху, но себе самой. «Жизнь дается нам в этом мире один только раз, и моя жизнь должна пройти счастливо. Если бы у меня могла оставаться хотя бы доля сомнения, я не назначала бы свадьбу на субботу», — сказала она себе.

И в этот миг Аманда обрела чувство полной уверенности. Она и представить себе не могла, что завтрашним утром бесследно исчезнет.

1

Лори Моран слушала, как стоявшая перед ней девица практиковалась в полученном в школе знании французского языка. Она стояла в очереди в «Бушоне», недавно открытой французской пекарне, находящейся как раз за углом, если идти от Рокфеллеровского центра.

— Же вудре пэн шоколат. Лучше дэ[1].

Кассирша, терпеливо улыбаясь, ждала, пока покупательница закончит свой заказ. Она, безусловно, привыкла к неуклюжим попыткам клиентов попрактиковаться во французском, хотя пекарня находилась в самом сердце Нью-Йорка. Ну а Лори предстояла встреча с боссом, Бреттом Янгом, и она еще не решила, какую тему выберет для следующего выпуска своего шоу. И ей нужно было как можно больше времени для подготовки.

После заключительного «mer sea»[2] девица отошла с коробкой выпечки в руке.

Следующей была Моран.

— Простите, но я сделаю свой заказ anglais, s'il vous plait[3].

---

[1] Шоколадную булку. Лучше две (*искаж. фр.*).

[2] Игра слов, высмеивающая англо-французскую языковую смесь: по-английски «море» — «sea», по-французски — «мер»; вместе выходит «спасибо» (*фр. merci*).

[3] ...по-английски, если можно (*фр.*).

— Merci, — лихорадочно проговорила стоящая за прилавком женщина.

У Лори сложилась традиция утром в пятницу заходить в пекарню и покупать что-нибудь вкусненькое для своих сотрудников — личной ассистентки Грейс Гарсии и помощника Джерри Клейна. Они всегда были рады пирожным, круассанам и булочкам. После того как Моран сделала заказ, кассирша спросила, не нужно ли ей что-то еще. Макароны[1] выглядели просто превосходно, и Лори пообещала себе еще раз заглянуть сюда после обеда и купить их для папы и Тимми, ну и для себя самой, разумеется, если сегодняшнее совещание с Бреттом пройдет удачно.

Выходя из лифта на шестнадцатом этаже дома номер 15 в Рокфеллеровском центре, она не смогла еще раз не обратить внимания на то, насколько занимаемый ею кабинет в Студии Фишера Блейка соответствует ее успеху в прошедшем году. Моран привыкла работать в небольшой, лишенной окон комнатушке, располагая одним с помощником с парой работавших с нею продюсеров, однако с тех пор как она создала криминальную передачу, основанную на реальных висячих делах, ее карьера пошла в гору. Теперь ей был предоставлен просторный кабинет с длинным рядом окон и блестящей современной мебелью. Джерри был возведен в сан помощника продюсера, и ему предоставили меньший по размеру кабинет за соседней дверью. Ну а Грейс кипела

[1] Макарон — французская разновидность миндального печенья.

энергией в большом «предбаннике» перед обоими кабинетами. Теперь они втроем работали все время над собственным шоу «Под подозрением», освободившим их от прочей текучки.

Грейс Гарсии недавно исполнилось двадцать семь, однако выглядела она даже моложе. Лори не единожды испытывала желание намекнуть своей помощнице на то, что не стоит каждый день накладывать на лицо всю имеющуюся космстику, однако та явно предпочитала стиль, отличающийся от классических вкусов ее начальницы. Сегодня на ней была пестрая шелковая блузка поверх невероятно изящных легинсов и туфли на пятидюймовой платформе. Длинные волосы ее сегодня собраны в похожий на шикарный фонтан пучок фасона «Я мечтаю о Джинни»[1].

Обычно Гарсия немедленно направлялась к пакету из пекарни, однако сегодня она осталась на месте.

— Лори, — неспешно начала она.

— Что случилось, Грейс? — Моран достаточно хорошо знала свою помощницу и сразу поняла, что девушка встревожена.

Пока Гарсия собиралась приступить к объяснениям, из своего кабинета появился Джерри Клейн. Оказавшись между длинным тощим Джерри и Грейс на ее высоченных каблуках, Лори почувствовала себя коротышкой вопреки своим изящным пяти футам семи дюймам[2].

Клейн поднял обе руки:

---

[1] Сериал 1960—1970-х гг. о женщине-джинне, носящей высокую прическу с декоративными элементами в восточном стиле.

[2] Чуть больше 170 см.

— В кабинете тебя ждет леди. Она только что пришла. Я сказал, чтобы Грейс назначила ей встречу на другое время. И чтобы ты знала: я не имею никакого отношения к этой истории.

2

Сандра Пирс смотрела в окно кабинета Лори Моран. Шестнадцатью этажами ниже находился знаменитый каток Рокфеллеровского центра. Во всяком случае, Сандра всегда полагала, что там находится каток — даже теперь, в середине июля, когда гладкий лед и скользящие по нему конькобежцы временно уступили место летнему саду и ресторану.

Она представила себе собственных детей, рука об руку катавшихся здесь больше двадцати лет назад. С одной стороны старшая, Шарлотта, с другой Генри, ее младший брат. А посередине их маленькая сестренка Аманда. Старшие дети держали малышку так крепко, что, если бы коньки ее разъехались в стороны, девочка все равно благополучно устояла бы на ногах.

Вздохнув, Пирс отвернулась от окна и попыталась найти взглядом какой-нибудь предмет, позволявший скоротать время ожидания. Аккуратный облик кабинета удивил ее. Ей ни разу не приходилось бывать на телестудии, однако она представляла их в виде просторных помещений, целых этажей, заставленных рядами столов, какие показывают в разделе новостей. А кабинет Лори Моран, напротив, казался гламурной, но вполне жилой комнатой.

Сандра заметила на столе Лори фотографию в рамке. Убедившись в том, что дверь кабинета остается закрытой, она взяла снимок в руки и внимательно рассмотрела его. В кадре была сама Лори с мужем, Грегом, на пляже. Нетрудно было предположить, что заснятый вместе с ними обоими маленький мальчик — их сын. Посетительница не была знакома с ними лично, однако видела фотографии Лори и Грега в Сети. Ее интерес к программе «Под подозрением» вспыхнул сразу же, как только эта передача вышла в эфир. Однако недавно, когда Сандра прочла статью, в которой упоминались некоторые факты из собственной биографии продюсера, включая остававшееся долгое время нераскрытым преступление, Пирс поняла, что должна явиться в редакцию и лично переговорить с Лори Моран.

Она немедленно ощутила вину за вторжение в частную жизнь Лори.

Сандра понимала, что ей самой не понравилась бы незнакомка, разглядывающая ее фото с Уолтером и Амандой. Женщина поморщилась и одновременно поняла, что в последний раз была в обществе своего бывшего мужа и младшей дочери пять с половиной лет назад — на последнем семейном Рождестве перед свадьбой Аманды. То есть перед ее *предполагавшейся* свадьбой.

«Интересно, я когда-нибудь привыкну называть Уолтера своим бывшим мужем?» — подумала она. Сандра познакомилась с ним на первом курсе Университета Северной Каролины. Отец ее был военным, и ей пришлось пожить в самых разных уголках мира, но только на юге. Какое-то время ей пришлось потратить на приспособление к местным условиям, поскольку другие студенты выросли на неписаном нравственном кодексе, основ которого она не понимала. Соседка по комнате пригласила ее на первый футбольный матч в сезоне, посулив, что, как только она поболеет за «Тар Хилс»[1], немедленно превратится в уроженку Северной Каролины.

Брат соседки по комнате прихватил с собой приятеля, второкурсника. Звали его Уолтер, и был он из местных. Уолтер не столько следил за игрой, сколько разговаривал с Сандрой. К концу последней четверти во время кричалки — «Смолильщик я, смолильщика сын! Родился, живу и умру смоляным!» — Сандра успела подумать: похоже, я встретила парня, за которого хочу выйти замуж. Так оно и вышло. С того времени они были вместе. И вырастили троих детей в Роли, всего в получасе езды от стадиона, на котором познакомились.

Пирс вспомнила о том, как в первые тридцать два года из тридцати пяти лет брака они помогали друг другу в своих очень разных сферах жизни. Хотя Сандра никогда официально не поступала в семейную фирму Уолтера, она всегда давала ему советы по поводу запуска новых товаров, рекламных кампаний и в особенности связанных с персоналом вопросов. Из них двоих она была наиболее чуткой к эмоциям и пожеланиям людей. А Уолтер возвращал ей должок, принимая на себя хлопоты над церковными, школьными и коммунальными проектами, которые непременно сваливались на нее. Она почти улыбнулась, вспоминая, как ее медведище Уолтер метил маркером сотни крошечных резиновых утят

---

[1] «Смолильщики» (*англ.* Tar Heels) — прозвище жителей Северной Каролины, в середине XIX века бывшей лидером по производству корабельной смолы в США. Так называются и университетские спортивные команды штата.

для ежегодной утиной гонки на Олд-булл-ривер, объявляя каждый номер после того, как отправлял утенка в общую груду.

Муж всегда говорил Сандре, что они партнеры во всем. Конечно, она теперь понимала, что это было не вполне справедливо. Уолтер усердно пытался быть хорошим отцом. Он являлся на школьные постановки и бейсбольные матчи, однако дети всегда видели, что мыслями их папа находится в другом месте. Обычно ум его был занят работой — новой производственной линией, дефектами продукции одной из фабрик, оптовиком, настаивавшим на дальнейшей скидке... С точки зрения Уолтера, его главным вкладом в семью как отца являлась забота о собственном деле, обеспечение финансовой безопасности семьи, и поэтому Сандре приходилось компенсировать эмоциональную отстраненность мужа от детей.

А потом, два года назад, она приняла решение, осознав, что не может больше переносить чрезвычайное неудовольствие Уолтера, которое он демонстрировал всякий раз, когда она упоминала имя Аманды. «Мы горевали каждый по-своему, — подумала она, — и для одного дома нашего горя оказалось слишком много».

Пирс поправила воткнутый в лацкан жакета значок с фото без вести пропавшей Аманды. Она уже утратила счет этим сменявшим друг друга значкам. О, как же Уолтер презирал коробочки с ними, встречавшиеся по всему дому!

— Видеть их не могу, — говорил он. — Нельзя в собственном доме каждое мгновение представлять, что именно могло произойти с Амандой.

Неужели он и в самом деле ожидал, что его жена перестанет искать свою дочь? Это было невозможно. И Сандра осталась преданной своему делу, а Уолтер возвратился к прежнему образу жизни. Партнерство распалось.

Так что в настоящее время Уолтер являлся для Сандры «бывшим мужем», что, с ее точки зрения, было странно уже само по себе. Почти два года она прожила в Сиэтле, куда перебралась, чтобы оказаться поближе к Генри и его семье, и теперь обитала в прекрасном особняке, построенном в колониальном голландском стиле на вершине холма Королевы Анны, причем две спальни были отведены ее внукам, чтобы они могли заночевать в доме бабушки. А Уолтер, конечно, остался в Роли. По его словам, такое решение он принял ради блага компании, хотя бы до тех пор, пока не выйдет в отставку, чего — в этом его бывшая жена не сомневалась — он не сделал бы никогда.

Услышав голоса за входной дверью кабинета, Сандра поспешно вернулась на длинный, крытый белой кожей диван под окнами. «Прошу тебя, Лори Моран, прошу тебя, окажись тем самым человеком, который мне нужен, о котором прошу...»

3

Когда Лори вошла в свой кабинет, дожидавшаяся ее женщина торопливо поднялась с дивана и протянула ей руку:

— Миссис Моран, я очень благодарна вам за то, что вы согласились встретиться со мной. Мое имя — Сандра Пирс.

Рукопожатие ее было твердым и сопровождалось пристальным взглядом в лицо, однако Лори немедленно ощутила, что незнакомка волнуется. Слова ее казались заученными, и голос слегка дрожал:

— Боюсь, оказавшись у вас, я немного раскисла. И ваша помощница любезно позволила мне подождать в вашем кабинете. Надеюсь, что вы не станете укорять ее за это. Она была очень добра ко мне.

Продюсер осторожно прикоснулась к локтю посетительницы.

— Не беспокойтесь, Грейс уже объяснила мне, что вы очень взволнованы. Надеюсь, с вами все в порядке?

Окинув быстрым взглядом свой кабинет, Лори немедленно установила, что фотография на ее столе стоит несколько под иным углом. Она не заметила бы столь небольшого смещения любого другого предмета, но этот был особенно важен для нее. В течение пяти лет в ее кабинете не было никаких семейных фото. Моран не хотела, чтобы ее сотрудники сталкивались с постоянным напоминанием о том, что ее муж был убит и преступление до сих пор остается неразгаданным.

Но после того как полиция нашла убийцу Грега, она вставила в рамку эту фотографию — последнюю, на которой она, Тимми и Грег еще были семьей — и поставила ее себе на стол.

Женщина кивнула. Однако Лори все еще казалось, что она готова сломаться из-за любой мелочи. И она отвела свою гостью назад, к дивану, где успокоить ее было проще.

— Простите меня, обычно я не настолько нервозна, — начала Сандра Пирс, сцепив на коленях руки, чтобы они не тряслись. — Дело в том, что иногда мне кажется, что у меня заканчиваются все возможные варианты. Местная полиция, полиция штата, прокуратура, ФБР... Я уже потеряла счет частным детективам. Я даже наняла телепата. Он сообщил мне, что Аманда в самом ближайшем будущем реинкарнируется в Южной Америке. Больше я подобных глупостей не повторяла.

Слова слетали с губ гостьи настолько быстро, что Лори не без труда понимала ее, однако самое главное она все-таки сообразила: что пришедшая к ней Сандра Пирс принадлежит к числу людей, уверовавших в то, что программа «Под подозрением» поможет ей разрешить собственные проблемы. Теперь, когда шоу пребывало на верху популярности, казалось, нет предела числу людей, не сомневающихся в том что, основанное на реальных сюжетах телешоу способно уладить любую несправедливость. Ежедневно на страничке программы в Фейсбуке появлялись все новые горестные и путаные рассказы, каждый из которых превосходил трагизмом предыдущий — повести об украденных автомобилях, неверных мужьях, кошмарных домохозяевах... Трудно было усомниться в том, что некоторые из просивших помощи реально нуждались в ней, однако лишь немногие и в самом деле понимали, что программа «Под подозрением» расследует только неразгаданные серьезные преступления, а никак не мелкие посягательства. Даже в тех случаях, когда к ней обращались настоящие жертвы преступлений или их семьи, Лори приходилось отказывать им по той причине, что она могла подготовить лишь ограниченное число выпусков своей программы.

— Миссис Пирс, нет никакой необходимости торопиться, — проговорила продюсер, ощущая при этом, как сокращается время, отпущенное ей до разговора с Бреттом. Подойдя к двери, она попросила Грейс принести им два кофе. Ее расстроило то, что ассистентка пустила случайную посетительницу в ее кабинет, однако теперь Моран поняла, почему она так поступила. В этой женщине присутствовало нечто воистину требовавшее сочувствия.

Вновь повернувшись к Сандре Пирс, Лори отметила, что посетительница довольно привлекательна... У нее было узкое и длинное лицо, доходящие до плеч светлые волосы с пепельным оттенком и ясные голубые глаза. Моран могла бы подумать, что Сандра не намного старше ее собственных тридцати шести лет, если бы не красноречивые морщинки на шее.

— Грейс сказала мне, что вы приехали из Сиэтла... — спросила Лори.

— Да. Я намеревалась сперва позвонить или написать, однако поняла, что к вам, наверное, каждый день обращаются сотни людей. И я понимаю, что лететь вот так, через всю страну, нс имея приглашения или договоренности, — чистое безумие, но мне пришлось поступить именно так. Я хотела удостовериться в том, что не истрачу свою возможность впустую. Мне кажется, что я искала именно вас; не вас лично — я далека от желания докучать вам, — но ваше шоу.

Лори уже начинала жалеть о том, что решила выслушать эту женщину.

Ей нужно было время на то, чтобы привести к законченному виду свои предложения Бретту. Так что же такое в Сандре Пирс заставило ее забыть об осторожности и принять ее? Она уже собралась было объяснить, что ей нужно приготовиться к беседе с начальством, когда заметила значок, приколотый к блейзеру посетительницы. На нем была фотография юной, подлинно прекрасной девушки, безумно похожей на Сандру. Желтая лента пересекала значок прямо под лицом этой девушки. Фото почему-то показалось Лори знакомым.

— Вы пришли по поводу нее? — спросила продюсер, жестом указав на значок.

Пирс опустила взгляд и, как бы получив напоминание, сунула руку в карман жакета, достала такой же значок и передала его Лори.

— Да, это моя дочь. Вот все смотрю на нее...

Теперь, когда Моран получила возможность посмотреть поближе, улыбка девушки тронула какую-то струну ее памяти. Конкретно этого снимка она не видела, однако улыбку узнала.

— Так вы сказали, что ваша фамилия — Пирс. — Лори произнесла эти слова вслух, надеясь, что фамилия поможет ее памяти.

— Да, Сандра Пирс. А это моя дочь — Аманда Пирс. Прессе она известна под прозвищем «Сбежавшая невеста».

4

Сбежавшая невеста. Лори вспомнила это дело сразу же, как услышала эти два слова. Аманда Пирс, красавица блондинка, невеста, намеревалась выйти замуж за симпатичного молодого адвоката, с которым познакомилась в колледже. Планировалось роскошное экзотическое бракосочетание в Палм-Бич, штат

Флорида. Однако утром предшествовавшего свадьбе дня оказалось, что невеста бесследно исчезла.

Если бы эта история произошла в любой другой момент жизни Моран, она мгновенно опознала бы фото Аманды Пирс. Вполне возможно, что она даже сумела бы узнать Сандру, мать Аманды. В другое время повесть о юной невесте, растворившейся в воздухе перед достойной всяческой мечты свадьбой, точно попадала в область интересов Лори. Она знала, что некоторые предполагали, будто бы мисс Пирс взяла ноги в руки и начала новую жизнь вдали от надоевших родных или вместе с тайным любовником. Другие считали, что у жениха с невестой поздним вечером произошла фатальная ссора, закончившаяся трагически — «и тело ее со временем обнаружится».

Однако эта история, которая в обычное время привлекла бы к себе внимание Моран, не заставила ее обратиться к делу. Аманда Пирс, увы, пропала всего лишь через несколько недель после того, как Грег, муж Лори, был насмерть застрелен на глазах их тогда трехлетнего сына Тимми. И когда лицо Аманды можно было видеть на экранах телевизоров по всей стране, Лори была в отпуске и не желала знать ничего, что происходило за стенами ее собственного дома.

Она вспомнила, как тогда выключила телевизор, подумав, что, если невеста не ударилась в бега, значит, с ней произошло нечто ужасное. Вспомнила и то, что остро сочувствовала ее родным и сопереживала их страданиям.

Теперь же Моран все вглядывалась в фото, вспоминая тот ужасный день. Грег повел Тимми на детскую площадку. Она чмокнула мужа в губы, когда он выходил из дома, посадив ребенка на плечи. Это был последний раз, когда ей довелось ощутить прикосновение его теплых губ.

По иронии судьбы бракосочетание Аманды Пирс должно было произойти в отеле «Гранд Виктория». Лори вспомнила, как они были там и как Грег все-таки затащил ее в океан вопреки ее полному смеха сопротивлению, хотя вода действительно была еще холодновата.

Размышления ее прервал стук в дверь, после чего в кабинете появилась Грейс с подносом, на котором находились две чашки кофе и несколько печений, купленных Лори в «Бушоне». Моран улыбнулась помощнице, заметив, что та решила отдать миссис Пирс свой любимый миндальный круассан.

— Я могу сделать для вас еще что-то? — Гарсия была воспитана в не слишком традиционной манере, однако в вопросах истинно значимых придерживалась добрых старомодных обычаев.

— Нет, дорогая моя, спасибо. — Сандра Пирс заставила себя улыбнуться.

Как только Грейс вышла, Лори повернулась к посетительнице:

— Скажу честно, в последнее время я совершенно ничего не слышала об исчезновении вашей дочери.

— Как и я сама, в чем, собственно, и заключается проблема. Даже когда нам впервые стало известно об исчезновении, мы подозревали, что полиция только имитирует бурную деятельность. В комнате Аманды не обнаружилось никаких признаков борьбы. На всем курорте не было замечено ничего странного. Сам отель «Гранд Виктория» — где должна была состояться свадьба — просто не мог быть более безопасным местом. Я видела, как полисмены смотрят на свои часы и мобильники, словно бы рассчитывая на то, что Аманда непременно объявится в родном доме в Нью-Йорке и признается в побеге из-под венца.

Лори невольно подумала, не воспринимает ли Сандра действия полиции с предубеждением. Даже короткие, передававшиеся в теленовостях отрывки, которые Моран тогда видела, свидетельствовали о том, что всю территорию курорта в поисках пропавшей невесты прочесали группы волонтеров.

— Насколько я помню, вашу дочь разыскивали с большим старанием, — проговорила она. — Имя ее не одну неделю оставалось в новостях.

— Конечно, они сделали все, что им положено делать, когда пропадает человек, — с горечью в голосе проговорила Пирс. — И нам пришлось каждый день стоять перед камерами и просить публику, чтобы нам помогли найти Аманду.

— И кто же были эти «мы»? — Продюсер подошла к столу, чтобы извлечь из него блокнот. Она уже почувствовала, как дело Сандры затягивает ее.

— Мой муж, Уолтер. То есть теперь бывший муж, но отец Аманды. И ее жених, Джефф Хантер. Однако в процесс были вовлечены вообще все приглашенные на свадьбу: двое других моих детей, Шарлотта и Генри, две подруги Аманды по колледжу, Меган и Кейт, и двое товарищей Джеффа по колледжу, Ник и Остин. Мы расклеили объявления по всей окрестности. Сначала поиски были ограничены территорией курорта. Потом их область расширилась. Сердце мое разрывалось, когда я видела, как эти люди обыскивают всякие уединенные уголки, каналы, строительные площадки и болота, расположенные вдоль побережья. По прошествии месяца поиски прекратились полностью.

— Сандра, я не понимаю... Почему они назвали ее сбежавшей невестой? Я могла бы понять, если бы полиция подозревала побег из-под венца в течение нескольких часов, ну, пары дней, самое большее. Однако по ходу расследования они должны были проникнуться вашей тревогой. Что заставляло полицию думать, что ваша дочь могла просто сбежать?

Лори ощущала, что ее собеседница не решается ответить, и потому продолжила:

— Вы сказали, что в ее комнате не было никаких следов борьбы. Пропал ли чемодан? Кошелек?

На основании этих фактов полиция могла установить, что случилось: побег или нечто плохое. Сложно сбегать из дома без денег и документов, подумала Моран.

— Нет, — поторопилась с ответом Сандра. — Из бумажника дочери пропала только одна вещь — ее водительская лицензия. Вся ее одежда, кошелек, косметика, кредитные карты, сотовый телефон — все это осталось в ее комнате. По вечерам она часто брала с собой лишь крохотный кошелек с карточкой от двери номера, косметичку и губную помаду. Его так и не нашли. Аманда вполне могла засунуть в него и водительские права, если намеревалась воспользоваться автомобилем. Они с Джеффом арендовали в аэропорту автомобиль. Насколько нам известно, Аманда последней пользовалась им утром того несчастного дня, когда вместе с подружками ездила за покупками. На территории отеля есть парковка. Там они и держали машину.

Или, подумала Лори, она взяла с собой права, какие-то деньги и отправилась на свидание с кем-то. Теперь Моран поняла, почему многие считали тогда, что Аманда бежала из-под венца. Впрочем, у нее имелся еще один вопрос:

— А что случилось с арендованной машиной?

— Ее нашли через три дня позади заброшенной заправки примерно в пяти милях от отеля.

Продюсер заметила, как стиснула губы Сандра и как на ее лице появилось жесткое и злое выражение.

— Полиция настаивала на том, что Аманда встретилась с кем-то на этой заправке и пересела на другую машину. На следующее утро после того, как стало известно о ее исчезновении и фото моей дочери показали на телеэкране, какая-то женщина из Дельрей-Бич заявила, что около полуночи видела Аманду в белом «Мерседесе» с открытым верхом, остановившемся на красный свет. Та женщина утверждала, что остановка была долгой, и она успела внимательно рассмотреть девушку. Аманда предположительно находилась на пассажирском сиденье, однако женщина не запомнила внешность водителя, ограничившись тем, что он показался ей высоким и что его голову прикрывала кепка. Но женщина безумна, я это знаю. Она обожала паблисити и была готова на все, лишь бы оказаться перед объективом камеры.

— И вы считаете, что полиция поверила ей?

— Они поверили, большинство из них, — с горечью проговорила Пирс. — Однажды, проходя мимо полицейского участка, я случайно подслушала разговор двоих детективов. Они стояли, опираясь на патрульную машину, курили сигареты и обсуждали мою дочь, словно персонаж из телевизионного шоу. Один из них не сомневался в том, что у Аманды был тайный кавалер из русских миллиардеров и что сейчас она гостит у него на острове. Второй покачал головой, и я подумала, что он вступится за Аманду. А он сказал — я этого никогда не забуду: «Будешь должен мне десять баксов, когда ее тело выловят в волнах Атлантики».

Сандра подавила рыдание.

— Мне очень жаль, — попыталась выразить соболезнование Лори, не зная, что еще можно сказать.

— Поверьте мне, я высказала этой паре все, что о них думала. Дело это до сих пор находится в ведении официального детектива. Ее зовут Марлин Хенсон. Она — хорошая женщина, однако, насколько я могу судить, след успел основательно остыть. Простите меня за вторжение в личное, миссис Моран, но я пришла к вам по особой причине. Вам известно, что значит — терять близкого человека. И годами не знать, что случилось и кого надо винить.

Грег был убит на детской площадке одной-единственной пущенной в лоб пулей в тот самый момент, когда начинал качать на качелях Тимми. Стрелявший целился именно в Грега и знал Тимми по имени.

— Тимми, скажи своей матери, что она будет следующей, — сказал он. — А потом придет твоя очередь.

Пять лет Лори знала об убийце своего мужа только то, что у него голубые глаза. Так сказал ее сын, закричавший тогда: «Мама, Синеглазый застрелил моего папу!»

Так что в ответ на слова Сандры продюсер просто кивнула.

— Представьте, миссис Моран, что бывает, когда знаешь еще меньше. Когда тебе неизвестно, жива или нет твоя дочь. Когда не знаешь, страдала ли она перед смертью или же сейчас где-нибудь живет и радуется. Представьте себе, как бывает, когда ничего не знаешь. Я понимаю, вы считаете, что мне по сравнению с вами в каком-то смысле повезло. Пока не найдено тело Аманды, ее можно считать живой. И я никогда не поверю в то, что она сбежала по собственной воле... Возможно, ее похитили, возможно, она пытается сбежать. А может быть, ее сбила машина и она потеряла память. Я все-таки могу надеяться. Но иногда мне кажется, что я почувствую облегчение, если какой-нибудь жуткий телефонный звонок сообщит мне, что все кончено. Тогда я, по крайней мере, буду знать, что моя дочь обрела покой. И пока этот звонок еще не прозвучал, я не могу остановиться. Я не могу перестать разыскивать дочь. Пожалуйста, прошу вас... Вы можете оказаться моим последним шансом.

Положив блокнот на кофейный столик, Лори, не вставая, выпрямилась и попыталась взять себя в руки, прежде чем разбить сердце Сандры Пирс.

5

Заложив выбившуюся прядку волос за ухо, что всегда свидетельствовало о волнении, Моран начала:

— Миссис Пирс...

— Прошу вас, зовите меня Сандрой.

— Сандра, я способна представить, насколько вам трудно жить, не зная, что случилось с Амандой. Однако наша программа ограничена собственными возможностями. Мы — не полиция и не ФБР. Мы возвращаемся на место преступления и пытаемся воссоздать события глазами участвовавших в них людей.

Сандра Пирс наклонилась вперед, готовясь к защите собственной позиции:

— И поэтому дело Аманды предоставляет вам идеальную возможность. Отель «Гранд Виктория» является одним из самых знаменитых отелей на свете. Это крайне эффектные декорации. А еще люди любят всякие свадебные истории и в большинстве своем не способны устоять перед тайной. Обещаю вам, что сумею убедить своих родных, в том числе моего бывшего мужа Уолтера, принять участие в деле. Я уже звонила одной из подружек невесты, Кейт Фултон, и она обещала мне сделать все возможное. Полагаю, что друзья жениха тоже согласятся. Что же касается Джеффа, то едва ли у него хватит духа отказать мне.

— Дело не в этом, Сандра. Во-первых, наша программа занимается нераскрытыми делами. Нераскрытыми *преступлениями*. Вы только что сказали, что у полиции нет никаких доказательств того, что ваша дочь стала жертвой насилия. Возможно, вы правы, и ее действительно похитили. Однако я не слышала от вас никаких доказательств того, что преступление было совершено на самом деле.

Теперь по щекам посетительницы уже текли слезы.

— Прошло уже более пяти лет, — со страстью в голосе проговорила она. — Моя дочь занималась бизнесом, причем успешно. Она обожала Нью-Йорк. До ее исчезновения не было никаких необъяснимых пропаж наличности, а также не наблюдалось операций с кредитными картами. После тоже. Она любила свою семью и друзей. Она никогда не стала бы повергать нас в подобное горе. Если бы она передумала выходить замуж, то тихо и мягко сказала бы об этом Джеффу, и они разошлись бы каждый в свою сторону. Прошу вас, поверьте, Аманда не убегала!

— Хорошо, однако остается вторая проблема. Наша передача называется «Под подозрением» не без причины. Мы обращаем особое внимание на преступления, где на близких жертве людей падает тень подозрения, хотя официальное обвинение никогда не выдвигалось. И поскольку Аманда в настоящее время технически считается пропавшей без вести, подозревать кого-то в преступлении против нее абсолютно невозможно.

— О, думаю, что Джефф Хантер вполне может опровергнуть подобное мнение.

— Жених? Но, кажется, вы сказали, что он находился рядом с вами и вашим мужем и возглавлял поиски.

— Да, сперва так и было. Нам и в голову не приходило, что Джефф может быть в какой-то мере связан с исчезновением Аманды. Однако не прошло и недели после того, как все это произошло, как Джефф нанял адвоката и отказался давать показания полиции без его присутствия. Зачем ему мог потребоваться адвокат, если он не делал ничего плохого? Не говоря уже о том, что он сам адвокат!

— Это действительно кажется странным. — Лори знала, что невиновные люди нанимают адвоката, чтобы защититься, однако самой ей и в голову не приходило поступить подобным образом, даже когда она замечала на себе осторожные взгляды офицеров полиции после убийства Грега.

— Потом, когда Джефф вернулся в Нью-Йорк, кое-кто из прокуратуры пытался лишить его работы, потому что там не сомневались в том, что он причастен к исчезновению Аманды. Даже теперь, если зайти на какой-нибудь сайт детективов-любителей, вы найдете там многих и многих людей, которые считают, что Джефф полностью соответствует названию вашей программы. И они, безусловно, станут смотреть ее, если вы займетесь делом Аманды.

Итак, отшить Сандру оказалось намного труднее, чем могла представить себе Лори. Она уже начинала волноваться по поводу того, что все это утро окажется для нее пропащим — а ведь впереди ей еще предстояло обсуждение кандидатур для очередного выпуска. Моран уже составила список из трех дел, претендующих на то, чтобы попасть в следующее расследование, однако своего выбора не сделала. Ей нужно было время на то, чтобы собраться с мыслями.

— Сандра, вполне понятно, что, когда бесследно исчезают женщины, под микроскоп в первую очередь попадают их друзья и мужья. Однако вы сами только что сказали, что не верите в его соучастие в деле, — возразила она.

— Нет, я сказала, что *сперва* мы не поверили этому. Нам было ужасно жалко его. Однако стали поступать факты. Во-первых, он нанял этого адвоката, этого защитника. Затем мы обнаружили, что у Джеффа имелся денежный интерес. Видите ли, Аманда и Джефф заключили предбрачный договор. Благодаря бизнесу Уолтера наша семья — и Аманда, работавшая на компанию отца, — обладала значительными средствами. А у Джеффа денег было немного.

— Мне кажется, вы говорили, что жених вашей дочери был адвокатом.

— Да, и очень смышленым к тому же. Он был первым среди выпускников Юридического училища Фордхэм на своем курсе. Однако семья не могла предоставить ему денег, да и сам он был не из тех, кто умеет их зарабатывать. Работая общественным защитником в Бруклине, он получал треть зарплаты Аманды, не говоря уже о ее доле в процветающем семейном бизнесе. Не было никаких сомнений в том, что, если отец уйдет от дел, бразды правления перейдут в ее руки. Сама идея заключения контракта, подготавливающего условия развода еще до заключения брака, была мне противна, однако Уолтер настоял на этом.

— А как отреагировал Джефф?

— Сказал, что как адвокат полностью понимает его. Я была довольна тем, что он согласился без возражений. Однако потом мы обнаружили, что за месяц до брака Аманда, помимо добрачного контракта, составила и завещание. Уолтер был озабочен тем, что Джефф может догола раздеть нашу семью, если брак окажется неудачным, но Аманда, конечно, имела полное право написать завещание так, как хотела. По-моему, она была так расстроена поведением отца из-за предбрачного соглашения, что написала завещание для того, чтобы утешить Джеффа. Весь свой трастовый фонд она полностью завещала ему.

— И сколько же это было?

— Два миллиона долларов.

Лори почувствовала, как округлились ее глаза. Сандра не обманывала ее, когда сказала, что у семьи есть деньги.

— И Джефф получил их? — уточнила она. — Или должно пройти семь лет до того, как ее признают мертвой?

— Да, насколько я понимаю, таков закон. Должно быть, если ее тело найдут, это ничтожество, этот полисмен из Флориды заработает свою десятку за выигранное пари, а Джефф загребет два миллиона долларов плюс существенный доход от вложения капитала. К тому же мне говорили, что он может в любой момент объявить Аманду мертвой и таким образом получить деньги. Вот если бы Аманда отменила свадьбу, ему ничего не досталось бы. Ни компенсации за развод, ни наследства, потому что Аманда изменила бы завещание сразу же, как только возвратилась в Нью-Йорк.

— Раз он был помолвлен с вашей дочерью, вы должны были хорошо знать его. Джефф никогда не казался вам опасным человеком?

— Нет. Мы видели в нем превосходного кандидата в зятья. Он производил впечатление искренней преданности Аманде и, по сути дела, являл собой пример верности. Однако, оглядываясь назад, скажу, что можно было и заметить опасные признаки. Два его лучших друга, Ник и Остин, насколько мне известно, до сих пор пребывают в статусе счастливых холостяков и активно меняют женщин. А ведь, как говорят, масть к масти подбирается.

— Вы допускаете, что Джефф был неверен вашей дочери?

— Это вполне возможно, учитывая Меган...

Лори бросила взгляд на оставшийся на кофейном столике блокнот.

— Меган — это...

— Меган Уайт, подружка невесты. Они с Амандой крепко дружили в Колби. И поддерживали близкие отношения после того, как обе перебрались в Нью-Йорк Сити. Меган — тоже адвокат. Специализируется по иммиграционному законодательству. Аманда и Джефф познакомились еще в колледже, однако тогда они не встречались. По сути дела, именно Меган заново познакомила Аманду и Джеффа в Нью-Йорке. И я с полной уверенностью могу сказать, что она очень жалела об этом.

— Что вы хотите этим сказать?

— Ну, получается, что Меган встречалась с Джеффом до Аманды. И как только Аманда исчезла, она сразу же юркнула на ее место. Они даже года не выждали после ее исчезновения. Меган Уайт теперь является миссис Джефф Хантер. И я думаю, что кто-то из них или они оба убили мою дочь.

Моран вновь потянулась к блокноту.

— Давайте еще раз.

6

По прошествии двух часов, когда Лори и Сандра еще говорили, сотовый телефон продюсера тревожно пискнул, давая сигнал о том, что Бретт ожидает ее в своем кабинете через десять минут.

— Сандра, увы, сейчас мне назначено свидание с боссом, — сказала Моран. Бретт не принадлежал к числу тех начальников, которые будут готовы смириться с опозданием подчиненной. — Но я очень рада тому, что вы перелетели всю страну для того, чтобы рассказать мне об Аманде.

Следуя за хозяйкой из кабинета, Пирс задала ей последний вопрос:

— Могу ли я рассказать вам еще что-нибудь, что подтолкнет вас выбрать ее дело для вашего шоу?

— Я выбираю дела не самостоятельно, но обещаю тем или иным способом вернуться к этому в ближайшее время.

— Полагаю, что на большее я рассчитывать не вправе, — сказала Сандра и повернулась к Гарсии, находившейся за своим столом. — Еще раз спасибо вам за доброту, Грейс. Надеюсь, что снова увижу вас обеих.

— Была рада помочь, — ответила ассистентка Лори полным сочувствия голосом.

Как только посетительница оказалась за дверью, Джерри немедленно присоединился к коллегам.

— Почему эта женщина кажется мне настолько знакомой? Она случайно не актриса?

Лори покачала головой:

— Нет, объясню потом.

— Ну, она и засиделась у тебя! — проговорил Клейн. — Мы с Грейс уже гадали, не пора ли нам вмешаться в ваш разговор. Встреча с Бреттом должна начаться через считаные минуты, а у нас не было даже возможности пролистать список идей.

Они намеревались еще раз заново пересмотреть список из трех избранных кандидатур, прежде чем Моран доложит свою концепцию Бретту. Она начала брать Джерри на некоторые из своих планерок у шефа, поскольку молодой человек постоянно принимал на себя все более серьезную часть производственных обязанностей.

Лори фокусировала свое внимание на новостном аспекте программы — на подозреваемых, на свидетелях и на точном изложении их историй. А Джерри, со своей стороны, обладал даром заранее представить себе сцены для съемок — осмотреть место действия, воссоздать картину преступления, словом, сделать шоу — настолько кинематографичным, насколько это возможно.

— Я и сама не рассчитывала провести с ней столько времени, однако у меня как будто сложился план, — рассказала Лори. — Ну, пошли.

И они торопливо направились по коридору к угловому кабинету Бретта Янга.

7

Новая секретарша Бретта, Дана Ликамели, махнула рукой, указывая им на дверь кабинета босса.

— Он потребует объяснений, — предупредила она их трагическим шепотом.

Лори посмотрела на часы. Они опоздали на две минуты. «О, боже!» — подумала она.

Как только они с Клейном вошли, Янг повернулся в кресле лицом к ним обоим. Как и всегда, лицо его выражало неодобрение. Рассказывали, что его жена однажды призналась в том, что он каждый день просыпается с недовольным выражением на лице.

— Простите за небольшое опоздание, Бретт, — начала Моран. — Но могу порадовать: я говорила с женщиной, чья история может прославить нашу следующую передачу.

— Люди либо опаздывают, либо приходят вовремя. И говорить, что вы слегка опоздали — все равно что сказать, что ты слегка беременна, — заявил ее босс и, отвернувшись от нее, добавил: — Джерри, ты сегодня выглядишь особенно опрятно.

Лори немедленно захотелось швырнуть в Бретта что-то тяжелое, особенно учитывая высказанный ее помощнику сомнительный комплимент. Клейн начинал свою работу в студии в качестве стажера — застенчивого и неловкого студента, пытавшегося замаскировать собственную худобу мешковатой одеждой и неуклюжей позой. За прошедшие годы Моран видела, как крепнет его уверенность в себе и как меняется соответствующим образом его внешний вид. До самого последнего времени он почти всегда, даже в теплую погоду, носил водолазки и кардиганы. Однако после успеха первого выпуска сериала «Под подозрением» Джерри начал экспериментировать с другими стилями. Сегодняшний его наряд составляли подогнанный по фигуре клетчатый твидовый пиджак, галстук-бабочка и горчичного цвета брюки. С точки зрения Лори, выглядел он отлично.

С гордостью разгладив пиджак, Клейн уселся. Если он усмотрел колкость в замечании Бретта, то не показывал этого.

— Я с нетерпением ждал сегодняшней встречи, — проговорил Янг. — Знаете, моя жена... сказала мне, что я не уделяю должного внимания — как же она выразилась? — *усилению положительной мотивации* своих коллег. Итак, Лори и Джерри, выражусь предельно ясно — мне очень не терпится услышать идеи, подготовленные вами для следующей передачи.

Пару лет назад, когда Моран только что вернулась к работе, Бретта совершенно не волновали совещания с ней. Она брала отпуск после гибели Грега. Первые ее передачи оказались неудачными. Возможно, потому, что она все еще горевала и не могла сконцентрироваться — или же потому, что ей просто не повезло. В любом случае звезды с телевизионного небосвода падают быстро, и, предлагая идею сериала «Под подозрением», Лори уже знала, что дни ее сочтены. Но теперь, когда шоу стало успешным, она поняла, что начала обдумывать эту идею еще до смерти Грега.

— Знаете, Бретт, мы не можем давать гарантию, что способны разрешить всякое дело. До сих пор таких дел было всего два. В обоих предшествовавших выпусках вовлеченные в дела люди оказывали содействие продюсерам и были откровенны с ведущим Алексом Бакли. Каждый раз так быть не может, — сказала Моран.

Янг забарабанил пальцами по столу, показывая, что всем остальным следует помолчать, пока он думает. Грейс как-то непочтительно заметила: «Он думает пальцами».

Симпатичный мужчина, наделенный скульптурными чертами лица и густой, стального цвета шевелюрой в возрасте шестидесяти одного года, он был язвителен до жестокости и блистателен в образе успешного знаменитого продюсера.

— Ну, с моей точки зрения, важно, чтобы зрители знали, что такое *может* случиться, и хотели бы присутствовать при этом. Теперь выкладывайте ваши предложения для следующего дела, — потребовал он.

Перед умственным взором Лори немедленно возникли заметки, которые она подготовила предыдущей ночью у себя на кухне, пока Тимми после обеда играл в видеоигры.

Она остановилась на трех случаях. Скорее всего Бретт должен был предпочесть убитого профессора-медика. Благодаря обстоятельствам тяжелого развода естественными подозреваемыми становились его бывшая жена и тесть. Кроме того, профессор начал встречаться с недавно разведенной женщиной, поэтому список дополнял собой бывший муж этой особы. Кроме того, имелся коллега, обвинявший покойного в плагиате. Ну и недовольный студент, проваливший экзамен по анатомии. Дело представляло собой идеальный материал для их шоу.

Также в списке Лори значился убитый в Орегоне маленький мальчик, а основным подозреваемым в этом случае являлась его приемная мать. Дело выглядело интересно, однако едва Моран начала обдумывать этот случай насилия, учиненного над девятилетним мальчишкой, как немедленно представила себе собственного сына и решила поискать другие варианты.

Третьим кандидатом являлось происшедшее тридцать лет назад убийство двух сестер. Лори находила это дело увлекательным, но подозревала, что Бретт сочтет преступление слишком давним для того, чтобы привлечь к себе внимание зрителей.

Но заметки по этим делам остались лежать в портфеле.

— Я помню, что говорила вам о том, что у меня есть несколько идей, но одна из них кажется мне бесспорно выдающейся, — заявила продюсер.

Ради себя самой и ради Сандры она надеялась на то, что Бретт согласится с ней.

8

Уолтер Пирс стоял в своем кабинете, глядя на производственный зал фабрики «Ледиформ», расположенной в Роли, Северная Каролина. В наши дни любой исполнительный директор любой фабрики мира предпочел бы виду на собственное производство уютный кабинет на одном из верхних этажей небоскреба, вдали от своих работников.

Однако Уолтер гордился тем, что управляет фабрикой «Ледиформ» в традиционном семейном стиле, и вся продукция его принадлежит к разряду спроектированной и сделанной в Соединенных Штатах. Мужчиной он был высоким и плотным, и его щекастую голову венчала монашеская тонзура.

Когда прапрадед открывал свое дело, женщины только переходили с корсетов на бюстгальтеры, причем этой перемене содействовала нехватка металла во время Первой мировой войны. Старик с гордостью утверждал, что, по слухам, трансформация эта позволила правительству сэкономить более пятидесяти миллионов фунтов металла, чего хватило бы на два военных корабля.

На самой заре своей деятельности компания «Ледиформ» располагала фабрикой в Северной Каролине с тридцатью рабочими. Теперь же она вела производство не только на первой фабрике, но также в Детройте, Сан-Антонио, Милуоки, Чикаго и Сакраменто — это не считая офисов в Нью-Йорке.

Созерцая с высоты деловую активность, Пирс думал о том, что именно Аманда стремилась перенести эту активность фирмы в Нью-Йорк. В то время она только училась в колледже и была при этом круглой отличницей, обладавшей здравым бизнес-чутьем.

— Папа, мы должны дать нашему предприятию будущее, — сказала она ему. — Мои ровесницы видят в «Ледиформ» изготовительницу безвкусных лифчиков и поясов, пригодных только для их бабуль и мамуль. Но мы хотим, чтобы молодые женщины видели в нас компанию, которая помогает им лучше выглядеть и находить общий язык со своим собственным телом.

У нее было столько идей по продвижению собственной торговой марки! Создание свободной и удобной одежды, модернизация логотипа, запуск линейки спортивной одежды — так, чтобы компания по-настоящему ассоциировалась с женскими формами, а не воспринималась как «поставщик исподнего», с печалью подумал глава фирмы.

Уолтер понимал, что отверг бы предложение Аманды, если бы не Сандра. Однажды вечером он явился домой с работы и обнаружил, что жена ждет его за кухонным столом. По суровому выражению на ее лице нетрудно было понять, что настало время для «серьезного разговора». Сандра настояла на том, чтобы он сел напротив — так, чтобы она могла кое-что высказать.

— Уолтер, ты чудесный муж и по-своему любящий отец, — начала она с ходу. — И поэтому я не пытаюсь переделать тебя или сказать, как нужно поступать. Однако ты постоянно подталкивал наших детей к тому, чтобы они разделили твою страсть к твоему семейному бизнесу.

— Но я также настаивал на том, что все они вправе избирать тот род деятельности, который приходится по вкусу им самим, — ответил ее муж с жаром. Впрочем, уже произнося эти слова, он испытал неприятное чувство, представив, что «Ледиформ» продолжает свое существование без Пирса у руля.

— Очень мило с твоей стороны, — отрезала Сандра. — Однако могу ли я напомнить тебе, что подталкивал ты их настолько усердно, что наш сын теперь не желает иметь ничего общего с семейным бизнесом и поэтому даже перебрался в Сиэтл для того, чтобы иметь возможность сделать что-то свое на противоположном краю страны. С другой стороны, Аманда и Шарлотта делали все, о чем ты им говорил. Потому что любят тебя и отчаянно нуждаются в твоем одобрении. А теперь давай честно признаем, что как раз Аманда по-настоящему влилась в компанию. У нее есть прекрасные идеи, Уолтер, и если ты будешь игнорировать их, то девочка будет уничтожена. И этого я, скажу тебе напрямик, не потерплю.

Посему, ничего не сообщив Аманде о вмешательстве ее матери, Пирс одобрил желание дочери открыть в Нью-Йорке офис фирмы, контролирующий проектное, рекламное и торговое отделения компании, и возглавить его. Там и работали его дочери, а он оставался на главном своем производственном предприятии в Роли.

И вот благодаря Аманде компания сделалась более доходной, чем когда-либо прежде, и деловые журналы регулярно превозносили «Ледиформ» как старую и подлинно американскую компанию, сумевшую успешно приспособиться к двадцать первому веку. «Аманда, — подумал Уолтер, — да знаешь ли ты, что спасла компанию от краха?»

Размышления его прервал звонок телефона. Достав его из кармана, он сразу заметил, что номер принадлежит его бывшей жене. Ей не впервые случалось звонить ему как раз тогда, когда он думал о ней. Прошло почти два года с тех пор, как она перебралась в Сиэтл, но связь между ними так и не разорвалась.

— Привет, Сандра, — сказал Уолтер. — Я как раз думал о тебе.

— Надеюсь, что хорошо.

Развод они оформили без особых разногласий и ссор. Однако, несмотря на обоюдную договоренность оставаться друзьями, проведенный адвокатами процесс разрыва их продолжавшегося больше трети столетия брака породил несколько напряженных моментов.

— Как и всегда, — твердым тоном проговорил Пирс. — Я связывал с тобой успех «Ледиформ». Если бы не ты, мы никогда не обзавелись бы офисами в Нью-Йорке.

— Какое совпадение, я как раз нахожусь в Нью-Йорке. И собираюсь пообедать с Шарлоттой.

— Значит, ты в Нью-Йорке? — переспросил Уолтер. — Чтобы повидаться с Шарлоттой?

Вопрос этот вызвал у него чувство вины. Ему пришлось принимать чрезвычайно трудное и болезненное решение — выбирать из двух дочерей своего наследника на посту главы компании. Конечно, Шарлотта, старшая, была огорчена и обижена принятым им решением, и тот факт, что после исчезновения Аманды она согласилась принять этот пост, нисколько не уменьшал ее негодования.

В прошлом ноябре Сандра пригласила Уолтера в Сиэтл — отобедать в день Благодарения с ней, Шарлоттой, Генри и его семьей.

Но он не мог ожидать, что бывшая супруга продолжит регулярно встречаться с ним. Тот визит оставил его в тоске и печали.

— Нет, не только для того, чтобы повидаться с нею, — говорила Сандра. — Боюсь, что я совершила поступок, который может расстроить тебя. Ты слышал о телешоу, которое называется «Под подозрением»?

«К чему оно ей?» — удивился Уолтер, прежде чем выслушать рассказ Сандры о двухчасовом разговоре, состоявшемся у нее с продюсером программы по поводу исчезновения Аманды.

— Я подумала, что скорого решения можно не ждать, но, по-моему, она меня действительно поняла. — Голос женщины был полон волнения. — Прошу тебя, Уолтер, не сердись! Она сказала, что может взяться за дело только в том случае, если никто из членов семьи не будет возражать. Уолтер, прошу тебя, согласись!

Пирс дернулся. Неужели она и в самом деле думает, что он не стал бы заглядывать под каждый камень, если только это могло бы помочь раскрыть тайну исчезновения Аманды?

— Сандра, я не сержусь. И, конечно, окажу все возможное содействие.

— В самом деле? Уолтер, это просто чудесно! Спасибо тебе. Огромное!

В голосе Сандры слышалась радость.

Чуть более чем в пяти сотнях миль к северу от Уолтера, на Манхэттене, в отеле «Пьер», его бывшая жена прервала звонок и уложила свой сотовый телефон в сумочку. Рука ее тряслась. Они была готова к новому спору с Уолтером, подобному тем, что в итоге привели к концу их брак. *«И сколько же лет ты еще будешь помнить об этом несчастье, Сандра? Когда ты, наконец, намереваешься обратиться лицом к фактам? Мы живы, как и двое наших детей. И мы должны жить ради Генри, Шарлотты и наших внуков. Ты одержимая!»*

Однако подобных конфликтов у них больше не случалось с тех пор, как явившийся домой с работы Уолтер застал ее в спальне пытающейся застегнуть очень плотно набитый чемодан. Протестуя, он тем не менее донес его до ожидавшего автомобиля. Сев в машину, Сандра сказала:

— Не могу больше быть с тобой. Прощай.

Она была довольна тем, что сегодняшний разговор не привел к новой стычке. И все же, пока она шла по Шестой авеню, что-то тревожило ее. Уолтер без промедления согласился принять участие в передаче Лори Моран, если та сделает исчезновение Аманды следующим делом в своей программе «Под подозрением». Тем не менее Сандра прекрасно понимала, что переживание мгновение за мгновением прошлой трагедии в ходе расследования может абсолютно опустошить его.

— Прости, Уолтер, — проговорила она вслух. — Но если я получу шанс провести новое расследование исчезновения Аманды, то пройду весь путь до конца, что бы ни случилось.

9

В кабинете Бретта Янга, расположенном в студии Фишера Блейка, Лори выкладывала свой самый мощный аргумент в пользу того, чтобы Сбежавшая невеста была поставлена в очередной выпуск программы. Начала с того, что выложила на стол Бретта отданный ей Сандрой значок. Обычно она запасалась глянцевыми журналами формата восемь на десять, однако в тот день приходилось работать по вдохновению.

— Вы должны узнать это фото, — сказала Моран. — Это Аманда Пирс. Хотя после ее исчезновения прошло пять лет, ее мать Сандра все еще носит эти значки.

Приподняв бровь, Янг придвинул значок к себе, чтобы внимательнее рассмотреть его, однако ничего не сказал.

— «Жители Нью-Йорка, Аманда Пирс и Джефф Хантер собирались устроить роскошную выездную свадьбу, — стала читать Лори. — Запланированная на субботу церемония должна была закончиться пышным приемом. Намечалось, что бракосочетание будет происходить в узком кругу шести десятков близких друзей и родственников. Однако бракосочтание так и не состоялось. — Сделав небольшую паузу, она продолжила: — Утром пятницы, предшествовавшего свадьбе дня, невеста Аманда Пирс не вышла к завтраку. Жених и подруга невесты постучали в дверь ее номера, однако ответа не получили. Гостиничный охранник открыл для них дверь. Кровать не была расстелена на ночь. На ней лежало свадебное платье. Накануне вечером невеста обедала с подружками. После этого обеда невесту никто не видел».

Лори увидела, что сумела заинтересовать Бретта.

— «Все пришли в беспокойство, — стала она читать дальше. — Они осмотрели спортивный зал отеля, пляж, ресторан, вестибюль — все места, в которых она могла бы находиться. Джефф обратился к регистратору, чтобы узнать, не дано ли горничной указание привести в порядок номер Аманды. Клерк стал проверять, и как только он сказал «нет», в вестибюле появились родители Аманды, которым пришлось услышать от Джеффа, что их дочь пропала. Аманду с тех пор никто, никогда и нигде не видел».

Янг прищелкнул пальцами.

– То-то ее лицо сразу показалось мне знакомым! Так это и есть та самая Сбежавшая невеста? А это не она обнаружилась потом в Лас-Вегасе вместе с другим парнем?

Лори смутно помнила аналогичную историю, завершившуюся несколько лет назад подобным исходом, однако заверила босса в том, что с Амандой Пирс дело обстояло совершенно иначе.

– Аманда бесследно исчезла. Люди не устраивают побег из дома на пять лет.

– Не оставив следа? Что, тело не найдено? Никаких новых улик? Не слишком многообещающая перспектива.

– Нераскрытое дело. Как раз для нас, Бретт.

– Но на этот раз похоже, что безнадежное. Не просто нераскрытое, а замурованное, как склеп. Попробую догадаться: перед нашим совещанием ты как раз беседовала с безутешной матерью, от которой и получила значок. Я столкнулся с ней нос к носу в лифте. – И прежде чем Моран успела ответить, шеф произнес: – Лори, ты любительница грустных историй. Но я не могу дать зеленый свет новому выпуску лишь для того, чтобы ты выпустила на экран кучку рыдающих родственников. Нам нужны намеки. Нам нужны подозреваемые. Не сомневаюсь в том, что ты хочешь помочь этой женщине, однако, насколько я помню, родители даже не присутствовали в гостинице во время исчезновения девушки, так? И кто же те люди, которые с тех пор оказались «под подозрением»?

Лори рассказала о том, что Аманда решила оставить свой доверительный фонд Джеффу, несмотря на то что они еще не вступили в брак.

Потом в разговор вступил Джерри:

— Если войти в Интернет, нетрудно заметить, что дело это до сих пор волнует тысячи людей. Почти все считают, что преступление совершил жених для того, чтобы завладеть деньгами. А широкой публике неизвестны даже факты, касающиеся завещания. Уже вскоре после исчезновения Аманды жениху хватило наглости связаться с ее лучшей подругой. Теперь они женаты, и готов поклясться, что уже скоро они вдвоем растратят все денежки.

— Ну, мы, конечно, не имеем на этот счет никаких предвзятых мнений, — шутливым тоном добавила Лори.

— Естественно, нет, — согласился Клейн.

Упоминание о деньгах навело Моран на новую мысль:

— Бретт, а какая будет обстановка... первоклассная. Отель «Гранд Виктория» в Палм-Бич. Задумывалась свадьба мечты. Путешествие, проживание и развлечения оплачивала состоятельная семья невесты.

Лори с удовлетворением заметила, что Янг, наконец, сделал для себя кое-какие пометки. Она разобрала слово «курорт», за которым последовали несколько знаков доллара. Как она и предполагала, Бретту понравились шикарная обстановка и состоятельные участники передачи. Подчас Моран казалось, что босс предпочел бы, чтобы она вела передачу под названием «Мир богатых и знаменитых: неразгаданные убийства».

— Однако тело ее так и не нашли, — заметил Бретт. — И в данный момент мы вполне можем считать, что Аманда Пирс ведет новую счастливую жизнь под новым именем. Я бы сказал, Лори, что твоя журналистская этика не должна позволять вторжения в частную жизнь женщины.

Моран уже потеряла счет тем ситуациям, когда ее оценки как репортера входили в противоречие с неослабевающей тягой Янга к вершинам рейтингов. Теперь, когда она предлагала ему дело, идеальное с телевизионной точки зрения, он был рад возможности подпортить ей настроение.

— Дело в том, что я уже подумывала об этом. Даже если Аманда бежала по собственному умыслу, мы имеем нескольких жертв преступления. Она повергла в горе собственную семью и бросила тень подозрения как минимум на одного человека. И я буду рада, если нам удастся установить истину, куда бы она ни привела нас.

— Ну, что касается меня, то в данном случае мы можем оказаться на одной стороне. Это хорошая тайна, рассказ об исчезнувшей невесте идеален для телевидения — молодая и красивая женщина растворилась в воздухе, исчезла из пятизвездочного отеля в самые важные в собственной жизни дни. А знаешь, похоже, я успел самым положительным образом повлиять на тебя.

— Вне всякого сомнения, — сухо согласилась Лори, уже перебиравшая в памяти прочие преимущества, предоставляемые этим сюжетом. Обстановка, конечно же, приведет в восторг Грейс и Джерри. Отец Лори Лео Фэрли и сын Тимми получат возможность побывать там во время съемки — будем надеяться, в августе. В зависимости от даты она, возможно, успеет отснять выпуск еще до того, как в сентябре Тимми нужно будет идти в школу. И она уже успела помечтать о захватывающих записях интервью на пляже с Алексом, когда Бретт задал новый вопрос:

— А на кого мы можем положиться?

Самая большая трудность в подготовке их шоу заключалась в необходимости уговорить друзей и родственников жертв откровенничать перед телекамерой.

— Пока только на ее мать, возможно, на брата с сестрой и одну из подружек невесты. — Проговорив эти слова, Лори немедленно добавила: — Не получив от вас предварительного одобрения, я не хотела обращаться к другим людям.

Так звучало значительно лучше, чем *«дело это попало мне на стол только сегодня утром»*.

— Тогда дуй вперед, — принял решение Янг. — Выпуск «Сбежавшая невеста» может стать настоящим хитом.

10

Шарлотта Пирс сказала официанту, что ограничится зеленым салатом и лососиной.

— И еще порцию чая со льдом, — проговорила она, с вежливой улыбкой передавая ему меню. На самом деле Шарлотта предпочла бы «Кровавую Мэри» и стейк с жареной картошкой, однако сегодня она обедала с матерью, а это означало, что следует вести себя хорошо во всех отношениях.

Мисс Пирс прекрасно осознавала, что за последнее время набрала шестнадцать фунтов лишнего веса. В отличие от своих брата с сестрой, она не была худощавой от природы, и ей приходилось «чуть потрудиться», как говаривала в таких случаях ее матушка, чтобы сохранить «здоровый вес». По иронии судьбы, Шарлотта набрала этот вес за те долгие дни, которые проводила в «Ледиформ», слишком часто подкрепляясь фастфудом.

— Очаровательный ресторанчик, на мой взгляд, — проговорила Сандра после того, как официант ушел. Ее дочь выбрала этот ресторан, потому что знала, что ей понравится элегантный и просторный зал, заставленный свежими цветами. Она также постаралась собрать пучком на затылке свои длинные и непокорные волнистые каштановые волосы. Мать всегда старалась намекнуть, что неплохо бы сделать более современную прическу. Хотя, на взгляд Шарлотты, Сандре просто хотелось, чтобы она сделалась более похожей на Аманду.

— Ну, как идут дела? — поинтересовалась миссис Пирс.

Пока Шарлотта выкладывала планы маркетинга новой линии одежды для занятий йогой, включавшей показ мод на кабельном канале «Нью-Йорк Уан», ее мать слушала вполуха.

— Прости, мама. Я, кажется, затянула свой рассказ, — сказала наконец дочь. — Или ты скажешь, что я постепенно превращаюсь в папу.

— Тебе до него далеко, — отозвалась Сандра с улыбкой. — Помнишь, как вы втроем включили таймер, чтобы определить, как долго он сумеет распространяться на тему нового лифчика-трансформера?

— Да уж! Я едва не забыла об этом. — Одной из излюбленных тем для шуток младших Пирсов являлся их собственный отец. Рослый и мужественный Уолтер без всякого смущения разговаривал о лифчиках, трусиках, панталонах и поясах за обеденным столом, в присутствии их подруг и в очереди в продуктовом. За словами этими для него стояла только работа, а свою работу он любил. Упомянутый Сандрой инцидент произошел в День благодарения, а лифчик являл собой ледиформовскую новинку «три-в-одном», преображавшуюся из бра со стандартными бретельками в вариант без бретелек и далее в полуспортивную модель. Их фирма первой запустила этот дизайн.

Когда стало очевидно, что папа приступил к очередному из своих «семинаров», Генри сбегал на кухню за таймером. И вместе с Шарлоттой и Амандой они скрытно пустили его по кругу, пока отец подробно описывал каждую конфигурацию, пользуясь салфеткой в качестве иллюстрации. К тому времени, когда Уолтер осознал, что происходит, лица его детей успели изрядно побагроветь от сдерживаемого хохота, а стрелка таймера указывала на восемь минут.

— Вы всегда любили подразнить отца, — припомнила Сандра.

— О, он любил наши шутки! И до сих пор любит, — добавила Шарлотта, постаравшись не забыть о том, что отец и мать теперь разговаривали нечасто. — Мама, ты вчера позвонила мне и сообщила о том, что летишь в Нью-Йорк. Мне очень приятно видеть тебя, однако я подозреваю, что ты пересекла всю страну отнюдь не для того, чтобы пообедать со мной.

— У меня возникли кое-какие соображения насчет Аманды.

— Ну конечно! — Все, что говорили, делали или думали родители старшей мисс Пирс, всегда тем или иным образом было связано с Амандой. Шарлотта понимала, что реакция ее отдает жестокостью, однако истина заключалась в том, что отец с матерью всегда предпочитали младшую дочь остальным детям, даже до ее исчезновения. И основную часть своей жизни старшая дочь ощущала себя менее образованной, менее привлекательной и менее признанной, чем ее сестра.

Положение сделалось даже хуже после того, как Аманда окончила колледж и поступила работать в «Ледиформ», с горечью подумала Шарлотта. Она уже проработала в семейной фирме четыре года, когда в компанию поступила младшая из Пирсов.

Однако Аманда явилась с идеей... Она предложила создавать тандемы из знаменитых спортсменок и модельеров, чтобы создавать высококачественное женское спортивное белье. После этого папа обращался с ней как с переродившимся Эйнштейном.

«Идея Аманды действительно была замечательной, — с неудовольствием подумала Шарлотта. — Тот факт, что я уже пять лет делаю не только ее работу, но и много больше, похоже, так и остался не замеченным моими любимыми родителями».

Она поманила к себе официанта и, когда он подошел, сказала:

— Пожалуйста, принесите мартини с водкой. — После чего посмотрела на свою мать: — Итак, мама, что там насчет Аманды?

11

Как только они вышли из кабинета Бретта, Лори чуть приобняла Джерри за плечи.

— Ты был великолепен у босса. Удивительно, как много ты знаешь об этом деле!

— Когда исчезла Аманда Пирс, я еще учился в колледже, — ответил молодой человек. — Все наше общежитие ходило под воздействием этой истории. Кажется, я даже пропустил два учебных дня, потому что никак не мог отклеиться от CNN. Как раз тогда я понял, что эта вот небольшая практика в нашей студии является моим истинным призванием.

Мимо них прошел Харви из доставки, одной рукой кативший тележку с почтой, а в другой держа полусъеденный круассан.

— Лори, сегодня ты официально являешься самой моей любимой коллегой, — сообщил он Моран.

— Приятно слышать, Харви, — отозвалась та.

Как только Харви отошел подальше и уже не мог слышать его, Джерри произнес:

— А вот жена его не обрадовалась бы, увидев сейчас своего мужа. Насколько я слышал, она недавно посадила его на какую-то безглютеновую диету. Приятно видеть, что он все-таки жульничает. А то всю последнюю неделю с почтой происходит какая-то путаница.

Лори улыбнулась: похоже, что ее помощник был в курсе дел всех и каждого.

— А почему же тогда ты ни разу не предложил этот сюжет для нашего шоу, раз был знаком с ним в подробностях? — спросила она.

— Не знаю. Не думал, что эта идея понравится тебе.

— Из-за Грега? Джерри, когда был найден убийца Грега, я в известной мере успокоилась. Нет, дело не было закрыто, но покой я обрела. Вот почему меня радует, когда наши программы приносят другим людям это ощущение.

Так и было. Как только Лори получила ответы на свои вопросы, касающиеся смерти Грега, она поняла, что есть кое-что утешительное в точном знании. В восстановлении порядка. И хотя свою программу «Под подозрением» она придумывала исключительно ради успеха, теперь женщина видела в ней способ помочь другим несчастным семьям.

— По чести говоря, я подумывал предложить для шоу дело Аманды после того, как стану ассистентом продюсера. Но когда мы были в Лос-Анджелесе по делу об убийстве Золушки и останавливались в том громадном доме, ты сказала, что бассейн там почти такой же большой, как в «Гранд Виктории». И ты казалась тогда такой печальной. Словом, я решил... — Клейн не договорил свою мысль.

— Ты правильно решил, Джерри. Я была там с Грегом, но я в порядке, — ответила Лори.

12

Собравшись втроем в кабинете Моран, они — Лори, Джерри и Грейс — составляли список людей, с которыми придется вступить в контакт, прежде чем можно будет официально запускать в производство дело Аманды. Гарсия даже не слышала об Аманде — и вообще об этой девушке, и о ней как Сбежавшей невесте, — поэтому Лори пришлось потратить несколько минут на то, чтобы объяснить суть этого дела и связь с неожиданной утренней посетительницей.

— Теперь мне становится более понятно, — сказала Грейс. — Сандра звонила сюда, пока вы были на своем совещании. Она сказала, чтобы я передала тебе, что ее бывший муж Уолтер — цитирую — *целиком за*.

— Превосходно, — проговорила Моран, перечеркивая в списке отца Аманды. — Сандра передала мне список всех гостей невесты, присутствовавших на курорте, когда пропала Аманда. Жених Джеффри Хантер по-прежнему является государственным защитником в Бруклине. Теперь он женат на Меган Уайт, лучшей подруге Аманды, избранной ею подружкой невесты.

Эту скандальную новость Грейс сопроводила красноречивым: «У-у-ух ты!» Ей нравилось думать, что она умеет угадывать преступника с помощью своего безошибочного чутья.

— Только не надо немедленно перепрыгивать к выводам. Мы ведь журналисты, не забывай об этом! — рассмеялась Лори. — Со стороны Джеффа на свадьбу были приглашены два его лучших друга по колледжу — Ник Янг и Остин Пратт. Насколько известно Сандре, оба они в самое последнее время занялись финансами и находятся здесь, в Нью-Йорке, так что можно надеяться на то, что их будет нетрудно отыскать. Третьим товарищем жениха был Генри, старший брат Аманды, в своей семье являющийся нонконформистом.

Джерри усердно записывал.

— А как насчет подружек Аманды? — поинтересовался он.

— Во-первых, свидетельница, Меган Уайт... — начала Моран.

— Присвоившая жениха, — прокомментировала Грейс.

— *На данный момент состоящая в браке* с бывшим женихом, да. Сестра Аманды, Шарлотта, старшая среди отпрысков своей семьи, также была одной из подружек. Кстати, теперь она является очевидной наследницей семейной компании «Ледиформ».

— Мне их продукция нравится, — шепотом, словно разглашая секрет, произнесла Гарсия. — Ты влезаешь в нее и выглядишь на два размера меньше.

Теперь Лори поняла, каким образом объемистой Грейс удавалось втиснуться в любимые ею узкие платья и брюки.

— Ну, у меня создалось отчетливое впечатление, что до своего исчезновения именно Аманда успешно поднималась по служебной лестнице, — стала рассказывать продюсер. — Возможно, нам придется искать следы былого детского соперничества. И наконец, остается Кейт Фултон. Сандра рассказывала мне о ней немного, ограничившись тем, что уже переговорила с ней и что Кейт была готова принять участие. За исключением брата и сестры Аманды, остальные гости со стороны невесты вместе учились в колледже Колби, штат Мэн. Сандра Пирс убеждена в том, что они помогут ей.

— Я могу посмотреть в Фейсбуке и Линктине, числятся ли они там, — вмешался Джерри как эксперт в области использования социальных сетей для извлечения нужного материала. — А также найти контактную информацию для всех остальных. Но ведь предполагалась свадьба. Значит, нам придется обратиться в отель «Гранд Виктория». С телевизионной точки зрения, привлекательность этого дела отчасти определяется местом действия.

— Это меня тревожит, — отозвалась Лори. — В отеле могут не захотеть такой негативной рекламы. Им незачем напоминать людям об исчезновении Аманды.

— Однако никто и нигде не намекал на то, что отель может быть в чем-нибудь виноват, — возразил ее помощник. — На мой взгляд, дело убедительно доказывает, что успешные, обладающие великолепным вкусом люди выбирают его как место для столь важных событий, как заключение брака, не говоря уже обо всех великолепных кадрах, которые мы отснимем на их территории и включим в передачу.

— Отличная идея, Джерри. Когда придет время этого звонка, думаю, я позволю тебе провести переговоры. Еще Сандра упоминала свадебного фотографа. К несчастью, она не смогла вспомнить его фамилию, однако в отеле могут что-то вспомнить.

— Жених тоже может, если он даст свое согласие.

— Как это — *если*?! — проговорила Моран. — Сглазишь еще. Сандра числит его номером первым среди подозреваемых. Так что он обязан согласиться.

13

В вестибюле Сандра напоследок обняла свою дочь.

— Я горжусь тобой, моя дорогая.

— Мама, мы скоро увидимся, всего через несколько часов, — ответила Шарлотта. — В «Мареа», в восемь вечера. Ты ведь знаешь, где это?

— Ты объясняла мне: прямо по Централ-Парк-Саут почти до Коламбус-серкл. Думаю, что сумею не заблудиться. Как это здорово — два раза за один день увидеть тебя!

Сандра любила встречаться со старшей дочерью. Когда она жила в Роли, то видела Шарлотту и Генри от двух до четырех раз в году, чего, с ее точки зрения, было совершенно недостаточно. Перебравшись в Сиэтл, она старалась наносить дочери визиты никак не реже, однако тот факт, что теперь она регулярно видела Генри, заставлял ее все больше тосковать по Шарлотте.

Со стороны дочери было очень мило провести с ней весь вечер. После долгого ланча в «Ла Гренуй» они прошли по Пятой авеню, заглядывая в окна магазинов, а потом погуляли по городу, пока не добрались до корпоративного офиса «Ледиформ», располагавшегося возле Карнеги-холла. Там Шарлотта с гордостью показала матери самые новые модели.

Возвращаясь в свой номер в «Пьере», Сандра представляла себе лицо старшей дочери, когда во время ланча впервые упомянула имя Аманды. По здравом размышлении, подумала она, мне следовало еще вчера сообщить Шарлотте по телефону о своем плане обратиться в программу «Под подозрением». Тогда сегодняшний день едва ли стал бы сплошным развлечением.

Она понимала, что любое упоминание об Аманде испортит весь визит. Шарлотта всегда сравнивала себя со своей младшей сестрой, и даже по прошествии пяти лет со дня исчезновения Аманды она все еще сражалась с памятью о ней.

«Когда я рассказала Шарлотте о своей утренней встрече с Лори Моран, она как будто бы разволновалась, — подумала Сандра. — И немедленно выразила свою готовность поучаствовать в шоу, если телевизионщики одобрят тему».

— Не проходит и дня, чтобы я не вспомнила об Аманде, — сказала тогда Шарлотта.

Но было ведь и то мгновение, когда упоминание имени сестры заставило ее приуныть и срочно затребовать бокал мартини.

Шарлотта хорошая, порядочная женщина, но почему она такая неуверенная в себе, да еще и ревнивая? Сандра вздохнула. Зависть всегда пробуждала в старшей дочери самое худшее. В седьмом классе ее едва не выгнали из школы за мошенничество с экспонатом другой ученицы на ярмарке научных достижений.

Однако, как бы она ни ревновала к Аманде, Шарлотта никогда не причинила бы вреда младшей сестре. Или все-таки она была на это способна? Сандра, ужаснувшаяся уже оттого, что подобная мысль смогла прийти ей в голову, ощутила, как остро перехватило ей горло.

14

Когда поезд № 6, вздрогнув, остановился на станции «96-я улица», Лори заново проигрывала в памяти свой разговор с Джерри. Из передач пятилетней давности он почерпнул больше информации об исчезновении Аманды, чем сумела выяснить она сама за время двухчасового разговора с матерью пропавшей девушки. То есть это дело он знал превосходно.

И тем не менее воздержался от того, чтобы предложить для шоу нераскрытое исчезновение, которым интересовался, — из-за одной реплики, которую Моран произнесла в Лос-Анджелесе несколько месяцев назад. «*Ты показалась мне печальной*, — сказал он. — *И я решил...*»

Клейн не договорил свою фразу. И в этом не было нужды, потому что решил он правильно. Лори побывала в «Гранд Виктории» единственный раз — в обществе Грега. На вторую годовщину их свадьбы. На Нью-Йорк тогда обрушилась особенно злая зима. Однако больше, чем мороз, Моран угнетало тогда то, что прошел еще один месяц, а она опять не забеременела. Ее личный врач сказала ей, что это совершенно необязательно должно было случиться, но они с Грегом с самого начала супружества очень хотели завести детей.

И Грег, ощутив ее тревогу, однажды в четверг вечером объявил, что устроил себе короткий отпуск и некоторое время не будет выходить на работу в отделение «Скорой помощи» госпиталя Маунт-Синай, где состоял ординатором. Они провели четыре великолепных дня: днем купались и читали на пляже, а по вечерам наслаждались долгими обедами. Через девять месяцев родился Тимми.

«После смерти Грега я чувствовала себя такой одинокой... — думала Лори. — Мы всегда думали, что у нас будет четверо или пятеро детей». Она любила Тимми — мальчик был хорош во всех отношениях, — но никогда не предполагала, что он будет ее единственным ребенком.

Однако теперь, почти через шесть лет после смерти Грега, Моран поняла, что они с Тимми не рискуют остаться в одиночестве. Ее отец Лео ушел со службы в полицейском управлении Нью-Йорка, чтобы помочь ей воспитать сына.

«И на нем список моих близких родственников не заканчивается», — подумала Лори.

Грейс с одного взгляда понимала, что у нее на уме. Джерри видел, что она еще не готова заняться историей о трагедии молодой пары, собиравшейся вступить в брак в том самом отеле, где она однажды радовалась жизни в обществе Грега. Официально Клейн и Гарсия были ее сотрудниками, однако они же составляли и ее семью.

А кроме того, в ее жизни был Алекс. «Но сейчас не будем об этом», — решила она.

Лори торопливо прошла несколько кварталов, отделявших ее от квартиры, и уже, вставляя ключ во входную дверь, ощутила, как напряжение рабочего дня оставляет ее. Она была дома.

15

Дом встретил ее запахом жарившейся на кухне курицы и привычными звуками рисованной баталии, доносившейся из гостиной. «Бах! *Ха-ха!*» — Тимми играл в «Супер Смэш Бразерс» на своей приставке, а Лео, растянувшись на диване, читал спортивный раздел какой-то газеты. Лори пыталась как можно дольше не позволять ребенку играть в подобные игры, однако даже ей пришлось капитулировать.

— У Марио нет ни единого шанса, — проговорила она, заметив на экране персонажа, вступившего в битву с виртуальной личностью ее сына.

Отвесив смертоносный удар, Тимми с удовлетворением прошипел: «Йессс!» – а потом поднялся, чтобы обнять мать.

– А вот и она, – проговорил Лео, вставая. – Как прошло твое совещание у Бретта?

Женщина улыбнулась, довольная тем, что отец запомнил, каким значимым был для нее сегодняшний день.

– Лучше, чем я ожидала.

– И как он отреагировал на те дела, между которыми ты разрывалась?

– Забудь о них. Сегодня всплыла совершенно жуткая история. – И продюсер пересказала отцу сокращенный вариант утреннего разговора с Сандрой. – Кстати, ты помнишь это дело?

– Смутно. Тогда я еще работал, и преступлений в Нью-Йорке хватало для того, чтобы полностью занять мое внимание.

Лори услышала музыкальную фразу, которой оканчивалась игра, и Тимми опустил на стол свой пульт. Очевидно, он прислушивался к разговору старших.

– Так, значит, ты собираешься снова уехать? – спросил он с легким беспокойством в голосе.

Моран знала, что график ее работы волнует Тимми. Когда они снимали последний выпуск, она решила забрать сына на две недели из школы, чтобы дед приглядывал за ним в Калифорнии. Но Лори не могла позволить себе этого на каждой съемке.

– Тебе понравится, – сказала она. – Лететь далеко не придется, мы будем снимать во Флориде, в двух-трех часах лета отсюда. Если проект одобрят, я даже надеюсь провести съемки в будущем месяце:

так, чтобы успеть до того, как тебе нужно будет возвращаться в школу.

— А там есть аквапарк? — поинтересовался мальчик.

Лори послала умственную благодарность Грейс, которая уже выяснила эту важную информацию.

— Угу. В одном из бассейнов желоб высотой в сорок пять футов.

— Потрясно! А Алекс там будет с нами? — спросил Тимми. — Он обязательно захочет спуститься вместе со мной.

Иногда Моран беспокоило то возбуждение, с которым ее сын воспринимал вторжение Алекса в их совместную жизнь. Она, как могла, старалась не торопить события, однако в начале дня, представляя себя с Алексом на пляже, невольно представила себе то же самое место, что и Тимми.

— Да, — ответила она, — Алекс занимает в нашем шоу важное место. Я разговаривала с ним. Он готов лететь. И Грейс с Джерри тоже будут с нами, — добавила она.

— Грейс, по всей видимости, уже заказывает частный самолет, способный вместить все ее туфли, — проговорил Лео.

— Не удивлюсь, — согласилась его дочь.

Спустя два часа, когда Лори убрала тарелки со стола, ей пришло текстовое сообщение от Джерри. Он все еще находился в студии, однако уже располагал контактами для связи со всеми необходимыми им в шоу лицами. «Не могу дождаться начала!» — написал он.

Наваждение, владевшее им с университетских лет, уже приносило плоды. Раздумывая над персонажами, необходимыми ей для съемки, Моран была уверена в том, что бывший жених Аманды и его новая жена нужны ей, как никто другой.

Однако, что бы там ни говорила Сандра, оба они были адвокатами, и профессиональные соображения могли помешать им дать согласие на участие в ее шоу.

К счастью, Лори была знакома с великолепным адвокатом, к тому же умевшим быть весьма убедительным. Поэтому послала короткое сообщение Алексу, в тот уик-энд почетному гостю на профессиональной конференции в Бостоне: *«Не найдешь время встретиться в понедельник вечером? Разговор на пару часов. Это о передаче. И, пожалуйста, будь на машине. Надеюсь, что нам удастся встретиться с одним-двумя ее будущими участниками»*.

Ответ пришел немедленно: *«Для тебя у меня всегда есть время»*.

Моран ответила: *«Подробности в понедельник утром, позвоню. Спокойной ночи, Алекс»*.

И с улыбкой поставила телефон на зарядку.

16

«Организованный хаос» — таким термином Кейт Фултон называла процесс вечернего успокоения своих четверых отпрысков. Трехлетки-близнецы, Эллен и Джаред, выкупанные, в пижамках, смотрели в общей комнате программу «Барни и его друзья». Вечер выдался хороший: подпевание детей песенкам из телевизора свидетельствовало о том, что они не дерутся.

После нескольких напоминаний Джейн, наконец, отправилась в свою комнату почитать перед сном.

Теперь, когда ей исполнилось десять, она потребовала, чтобы ей разрешили ложиться позже восьми.

— Все мои подружки уже ложатся спать позже. — Таким аргументом она подкрепила свой протест, и Кейт согласилась принять его к рассмотрению.

С восьмилетним Райаном ей всегда было проще, чем с остальными. Он всегда находился в ласковом и светлом расположении духа, хотя при этом был больше всех прочих подвержен несчастным случаям, о чем свидетельствовал в данный момент свежий гипс на его руке. Райан упал с нового велосипеда, когда попытался ехать без рук.

Обыкновенно привычный шум перед отходом детей ко сну странным образом успокаивал их мать. Однако сегодня Кейт хотела другого — тишины. Слишком много других звуков теснилось в ее голове.

Три дня назад она была ошеломлена неожиданным телефонным звонком от Сандры Пирс. Фултон не доводилось разговаривать с ней после второй годовщины исчезновения Аманды, а сегодня перед ужином Сандра позвонила в третий раз и сказала, что продюсер программы «Под подозрением» была восхищена перспективами этого дела. И сразу же после этого звонка позвонила сама продюсер, Лори Моран, чтобы объяснить, что именно потребуется от нее в программе.

Миссис Пирс предложила оплатить все расходы, чтобы Кейт смогла взять с собой Билла и детей, а если это не подойдет, обещала оплатить сиделку, чтобы та оставалась с детьми во время отсутствия Фултон. «Моя мать будет рада посидеть с ними, — ответила Кейт, — но я согласна на то, чтобы вы оплатили сиделку ей в помощь».

Она поднялась от стола. Близнецы затеяли возню.

— Живо все наверх! — строгим тоном сказала Кейт.

В «Хоум Депо»[1] шла ежегодная инвентаризация, и Билл, работающий там менеджером, должен был находиться в магазине до совершенно неприличного времени.

По прошествии двадцати минут, включив посудомоечную машину и уложив всех четверых детей, Кейт устроилась в своей норке за второй чашкой кофе. Если съемки состоятся, как почувствует она себя в «Гранд Виктории»?

Она помнила, как неловко ей было там в тот, прошлый раз. Аманда, Шарлотта и Меган казались такими умными, такими истинно нью-йоркскими женщинами! А она рядом с ними казалась самой себе неловкой домохозяйкой.

«Я любила Билла в тринадцать, — думала она. — Однако иногда теперь задумываюсь над тем, не стоило ли мне несколько лет после окончания колледжа пожить в Нью-Йорке, повстречаться с другими людьми, вздохнуть полной грудью...»

Фултон сделала еще один глоток кофе.

«Я никогда не думала возвращаться в Палм-Бич, — размышляла она. — Пять лет назад я совершила худшую ошибку во всей моей жизни. Никто не должен узнать о ней. Прошу тебя, Боже, — безмолвно помолилась она, — прошу тебя, пусть никто не узнает о ней!»

---

[1] «Хоум Депо» — сеть магазинов-складов по продаже строительных и отделочных материалов.

17

Уолтер Пирс открыл пришедшее по электронной почте письмо от своей дочери Шарлотты:

«Надеюсь, что они понравятся тебе так же, как и нам!»

Нам. Она имеет в виду своих сотрудников в Нью-Йорке. Десять лет назад любая новая модель была бы представлена ему здесь, на этой фабрике, в этом его кабинете, глядящем на производственный этаж, — в виде карандашных набросков на бумаге. И он сам решал бы, подходят или нет предложенные модели фирме «Ледиформ».

Теперь же он открывает файлы на компьютере. Щелкая мышью, можно осмотреть виртуальное изделие под всеми углами. Да и одобрение этому изделию уже высказано — целой кучей людей, чьи имена он уже не в состоянии запомнить.

Пирс перебрал изображения того, что прежде называлось бы фуфайкой, но теперь носило имя «толстовка». Тут рукава были снабжены вшитыми перчатками без пальцев, которые можно было сбросить взмахом запястья.

В былые времена Уолтер взял бы телефонную трубку и попытался выяснить у автора столь дурацкой идеи, зачем и кому на всем белом свете могут понадобиться пришитые к рукавам перчатки. Но теперь он просто нажал на клавишу «Ответить», напечатал: *«Смотрится превосходно, Шарлотта»*, — и отправил письмо.

Зазвонил телефон. Появившийся на экране номер принадлежал Генри. Приятный сюрприз. Обыкновенно инициатива в телефонных переговорах с сыном принадлежала Уолтеру.

— Так и знал, что застану тебя на работе, — приветливым тоном проговорил Пирс-младший, однако его отец прекрасно понимал: именно его преданность своему делу стала причиной того, что Генри, внуки, а теперь и бывшая жена живут на противоположном берегу континента.

— А я, знаешь ли, в восторге, — признался он. — Твоя сестра только что прислала мне удивительно красивую новую модель. А как там Сэнди и Мэнди?

Дочери Генри носили имена Сандра и Аманда — в честь бабушки и тети.

— Ох, с ними обеими одна морока!

Уолтер улыбнулся, услышав в голосе единственного сына гордую родительскую интонацию. Откинувшись на спинку кресла, он зажмурил глаза и попытался подумать, насколько другой стала бы его собственная жизнь, если бы он вел себя в той же манере, что и его сын. Генри проводил со своими девочками, наверное, столько же времени, что и его жена Холли. Он тренировал их футбольную команду, снимал танцевальные выступления и каждую субботу готовил для них завтрак, чтобы Холли могла подольше поспать.

«Я все стараюсь убедить себя в том, что, когда мои дети были маленькими, времена тоже были другими, — подумал Уолтер, — и тем не менее знаю, что мог быть более близок с ними».

— Скажи им, что дедушка Уолт скучает по ним, — проговорил он и сразу же добавил: — И как, по-твоему, поживает твоя мама в Сиэтле?

Произнося эти слова, Пирс-старший раскачивался взад и вперед в своем кресле. Он никак не мог смириться с тем, что Сандра живет без него. Пользуясь возможностями Интернета, он осмотрел весь ее дом, получив о нем полное представление, однако внутри побывал только однажды, когда Сандра пригласила его на обед в честь Дня благодарения.

Генри помолчал несколько секунд, прежде чем ответить.

— Пока все еще приживается к месту. А я вот почему звоню. Мама разговаривала с тобой по поводу этого телешоу?

— Она была очень взволнована. Неужели продюсер уже принял решение?

— Пока еще нет, но дело Аманды определенно заинтересовало телевизионщиков, — ответил Генри. — Я только хотел выяснить, действительно ли ты одобряешь предстоящую перспективу. Я знаю, в какой степени может разволноваться мама. Ты не должен чувствовать себя обязанным...

— Я и не чувствую. И сказал твоей маме, что горжусь тем, что по прошествии стольких лет ей удалось найти человека, способного заинтересоваться делом Аманды. Она добивалась этого всем своим сердцем.

— Но *тебе* это нужно?

— Конечно, если мама считает, что это будет полезно.

— Папа, именно это меня и смущает. Не стоит делать этого ради мамы, из чувства вины или просто потому, что ты считаешь, что сделаешь нечто нужное ей. Я знаю, что вас развело именно незнание того, что произошло с Амандой.

Уолтер проглотил скопившийся в горле комок.

— Твоя мать — самая горячая и верная женщина среди всех, кого я знал. Она поставила себе целью всей жизни найти Аманду. Поверь мне... если есть на свете человек, понимающий, насколько необходимо всецело отдаваться страсти, так это именно я.

— Папа, я говорю не о работе. Я понимаю, что говорить о своих чувствах не всегда удобно, но как получилось, что мы никогда не говорим об Аманде?

— Я до сих пор каждый день вспоминаю о твоей сестре.

— Я знаю, что ты любишь ее и тоскуешь о ней. Как и все мы. Однако мы никогда не *разговариваем* о ней. Как вышло, что вы так уверены в том, что она где-то здесь, в этом мире?

— Я никогда не был в этом уверен. Однако позволял себе надеяться. — Каждый вечер Уолтер представлял себе свою красавицу дочь и те приключения, которые она могла бы пережить. — Она всегда любила рисовать. Что, если стала художником где-нибудь на побережье Амальфи?[1] А может быть, завела себе тихий ресторанчик в Ницце?

— На мой взгляд, конечно, все возможно, — отозвался Генри. — Однако мама говорит, что Аманда никогда не оставила бы нас в подобном неведении, и это кажется мне абсолютно верным. Как могло получиться, чтобы вы двое имели настолько разные мнения о том, что произошло?

Его отец открыл было рот, однако слова не шли

---

[1] Амальфи — гористое побсрежье в Италии, в провинции Салерно, внесенное в список Всемирного наследия ЮНЕСКО.

у него с языка. Он не мог заново начинать обсуждение этой темы. И потому решил завершить разговор:

— Спасибо тебе за звонок, сын. Я полностью в курсе дела и буду рад увидеть тебя во Флориде.

— И ты способен оставить работу?

«Забавно, — подумал Уолтер, — я согласился принять участие в шоу, даже не подумав о компании».

— Я покину кабинет на столько времени, сколько будет необходимо.

Он понимал, что слишком запоздал с пониманием истины, заключавшейся в том, что как отец он никуда не годился и не умел рассказывать своим детям о чем-либо, кроме работы. «Мой сын, — подумал он, — перебрался через весь континент на его западный берег для того лишь, чтобы не слышать про «Ледиформ» за завтраком, обедом и ужином. И я же восстановил друг против друга обеих своих дочерей, рассчитывая, что они обе займутся семейным бизнесом, и не умея высказать каждой из них свое одобрение».

Он хотел рассказать Генри о том, почему он считает, что Аманда живет в далеких краях, проживая новую жизнь под новым именем. «Только так, — думал он, — дочь могла освободиться от меня и стать такой, какой действительно хотела стать». Но пока старший Пирс не имел сил признаться в этом.

— Значит, скоро поговорим, — сказал Генри. — Ладно, пап. Пока.

Положив на место телефонную трубку, Уолтер задумался о том, поймут ли когда-нибудь Сандра и ее дети, насколько он действительно изменился за последние несколько лет.

18

Начиналось утро понедельника, и это означало, что Джерри и Грейс обсуждают за дверями кабинета Лори, как им удалось провести выходные дни.

Оставаясь на своем месте, их начальница тем не менее сумела понять, что Гарсия распространялась на тему чрезвычайно впечатляющей внешности своего свежего ухажера.

— И где же ты его подцепила? — спросил Клейн.

— Ты говоришь так, будто таких, как он, тысячи! — запротестовала Грейс. — Чтобы ты понимал, это все чистый флирт и ничего серьезного. Я познакомилась с Марком — подцепила его, как ты выражаешься, — на тренировочном поле в Челси, возле причалов.

— Значит, ты играешь в гольф?

— Я — женщина одаренная. Костюмы восхитительны, игроки тоже — что здесь плохого? Кстати, о неожиданных приобретениях... не загар ли я вижу на твоем теле?

Лори обнаружила, что с бóльшим вниманием вслушивается в болтовню помощников, чем обдумывает записку маркетологам студии, которую она составляла. И, кстати, тоже заметила некий румянец на обычно бледной коже Джерри.

— Я был у друзей на Файер-Айленде. И потом, это не загар, — возразил молодой человек. — В отличие от тебя у меня всего два варианта: или мертвецки бледная кожа, или сгоревшая.

Моран с улыбкой нажала на клавишу «Сохранить» и поднялась из-за стола.

— Ладно, вы уже готовы к совещанию? — обратилась она к ассистентам.

Как только все заняли привычные места — Грейс и Джерри на диване, Лори в сером вращающемся кресле, — она спросила, кто из них двоих хочет начать.

Ей не терпелось услышать их отчеты. Обычно она вела за собой коллег, однако когда речь заходила о социальных сетях, Моран оказывалась в полной растерянности, едва понимала разницу между твитом и статусом, лайком и фолловером. Зато ее помощники, будучи всего на десять лет моложе ее, в виртуальном мире чувствовали себя как дома.

Чтобы максимально эффективно поделить работу пополам, Лори попросила Джерри посмотреть, что сможет он узнать о Джеффе и его свадебных гостях, в то время как Грейс были поручены гости Аманды.

Клейн так и рвался начать:

— Джефф оставил очень слабый след в социальных сетях, у него есть только профиль в Линктин — для профессиональных нужд, — добавил он для просвещения Лори, — и относительно тихая страница в Фейсбуке. Однако я сумел установить, что он по-прежнему поддерживает тесный контакт с Ником Янгом и Остином Праттом, проявляющими в Сети намного более заметную активность и остающимися его ЛДН.

Лучшими Друзьями Навек. Общение с Джерри, Грейс и собственным сыном помогало Лори понимать современный сленг.

— Остин и Ник до сих пор являются счастливыми холостяками и пребывают в поисках, а Джефф осел в Бруклине вместе с женой Меган, — продолжал молодой человек.

Грейс посмотрела на него, с полной уверенностью ожидая, что он скажет что-то еще.

— И это все? Хотелось бы и мне заниматься столь же простой работой.

— Еще я позвонил в «Гранд Викторию». Хочешь, чтобы я начал с этого? — перебил ее Джерри.

— Ребята, давайте по очереди, — призвала их к порядку Моран. — Что у тебя, Грейс?

— Ну, поскольку моя публика оказалась более сложной, — проговорила ассистентка с довольной улыбкой, — разберем их по одному. Меган Уайт, как уже упоминалось, вышла замуж за Джеффа. Ее нет ни в Фейсбуке, ни в Твиттере — нигде. Другой подружкой Аманды в колледже была Кейт Фултон. У нее четверо детей, она живет в Атланте, и ее муж управляет магазином сети «Хоум Депо». На ее странице в Фейсбуке есть несколько старых фото с Меган и Ама́ндой, однако, насколько я могу судить, она больше не поддерживает связи со старыми приятельницами. Теперь Шарлотта, сестра Аманды, которая работает в здешнем нью-йоркском отделении компании «Ледиформ». Ее брат Генри живет в Сиэтле, является совладельцем винокуренного завода, женат и растит двух девиц, во всяком случае, согласно его постам.

Лори кивала. Трое парней из Колби, и все легко доступны. Меган теперь замужем за Джеффом. Семью Аманды разбросало по всей стране. А ее подруга по колледжу с четырьмя детьми проживает в Атланте.

— Джерри, тебе ответили из «Гранд Виктории»? — спросила Моран. Больше всего ее тревожила перспектива возможного отказа отеля что-либо снимать на его территории.

— Я сегодня разговаривал с их конторой. Они рады помочь нам, — рассказал молодой человек. — Исчезновение Аманды стало для них катастрофой в области взаимодействия с обществом, так что, по моему впечатлению, они готовы сделать для нас все возможное. Они даже пообещали прислать нам копии записей камер внешнего слежения, которые предоставляли полиции.

— В самом деле? А когда мы сможем их посмотреть?

— Обещали на этой неделе.

Части головоломки по одной сходились воедино. Джефф по-прежнему дружил с обоими своими свидетелями, а уж с Меган был ближе уже некуда. И если Лори сумеет поставить его перед камерой, все будет отлично. А не даст согласия Сандре — есть способ убедить его. С помощью Алекса.

19

Когда в шесть часов вечера Лори вышла из здания, в котором располагалась ее студия, Алекс уже стоял на краю тротуара возле своего черного «Мерседеса». «Точно вовремя, — подумала она. — Мне следовало догадаться».

— Я жду тебя уже целый час, — заметил ее друг.

— Ну а как же!

Моран была знакома с Алексом уже больше года, однако, увидев его, всякий раз ощущала волнение. Игравший в колледже за баскетбольную команду, ростом шесть футов четыре дюйма[1], он по-прежнему сохранял атлетическое сложение. Темные волнистые

[1] Чуть выше 193 см.

волосы сочетались с его мужественной челюстью и то голубыми, то зелеными глазами, поблескивавшими за стеклами очков в черной оправе. Благодаря всему этому Алекс Бакли сделался одним из наиболее популярных судебных телекомментаторов, а отнюдь не только своим потрясающим достижениям в зале суда.

Лори торопливо чмокнула его в щеку.

— Не могу поверить своей удаче: ты нашел время.

Официально в программе «Под подозрением» Алекс был ведущим. Мастерство, которое он приобрел, участвуя в перекрестных допросах в зале суда, как нельзя лучше укладывалось в формат шоу. В ранних выпусках он включался в работу практически одновременно с камерами. Однако во время съемок последнего выпуска, три месяца назад, границы между официальным и неофициальным начали стираться там, где речь шла о Лори и Алексе.

Бакли открыл перед Моран дверь машины, обошел автомобиль с противоположной стороны и сел рядом с ней. Но прежде чем он успел открыть рот, Лори передала водителю бруклинский адрес Джеффа и Меган.

— Я, кажется, говорил, что для тебя у меня всегда есть время, — кротко проговорил он.

— Да ладно! Даже вспомнить не могу, когда ты выходил из своего кабинета раньше шести. Я по-настоящему удивлена. Как это вдруг получилось, что ты отреагировал на самую короткую просьбу?

— А, вот что мне полагается за свидание с журналистом — допрос с пристрастием, — усмехнулся Алекс. — Вчера я оспорил большинство показаний, поэтому заседание перенесли.

Свидание. Конечно же у нас сегодня свидание, подумала она. Другого слова для этого нет.

— Что ж, не удивлена твоей победе и благодарна за помощь, — проговорила она, когда Бакли пригнулся и взял ее за руку совершенно естественным жестом.

— Итак, Лори, что мы будем делать в Бруклине?

— Ты помнишь дело о пропавшей невесте?

Ненадолго подняв вверх глаза, Алекс задумался.

— Теплые края. Прекрасный отель. Флорида?

— Именно. Отель «Гранд Виктория», Палм-Бич.

— И что же произошло нового в этом деле? Насколько я помню, в то время циркулировали две версии: либо над ней учинили что-то нехорошее, либо эта особа взяла ноги в руки.

Лори понимала, что находится в невыгодном положении, поскольку в свое время не следила за происходящим.

— За прошедшие пять лет родственники не получили от нее ни слова, — сказала она. — На побег из-под венца это не похоже.

— Так, значит, ничего нового? Тело не нашли?

Моран, журналистка, дочь полисмена и вдова врача «Скорой помощи», никак не могла привыкнуть к деловому подходу своего друга к преступлениям.

— По словам матери Аманды, за прошедшие пять лет ничего нового не произошло, — ответила она. — У меня сложилось такое впечатление, что в полиции мнения разделились — одни считали, что ее убили, другие, что она сбежала из-под венца. Но в любом случае поиски прекращены. Типичный висяк.

— То есть именно то, что тебе нужно. А что нас ждет в Бруклине?

— Бывший жених, Джефф Хантер. — Лори торопливо выложила основы его биографии: колледж Колби, Фордхэмская юршкола, после окончания колледжа работает в бруклинской государственной адвокатуре. — А теперь самое интересное. — И она рассказала Бакли о последней воле Аманды, составившей завещание в интересах своего жениха. — Мать Аманды считает его подозреваемым номер один.

— Тебя волнует то, что, будучи адвокатом по уголовным делам, он может, так сказать, просто отказаться от дачи показаний, а значит, и от участия в шоу?

— Именно так. К тому же его жена — тоже адвокат. Ее зовут Меган Уайт. Она специализируется на иммиграционном законодательстве, а не на уголовном, но все же...

— То есть, если он даже захочет участвовать в шоу, она может попытаться не позволить ему?

— Или у нее могут найтись собственные причины для молчания. Дело в том, что Меган была лучшей подругой Аманды. Она тоже присутствовала в «Гранд Виктории» и поэтому также потенциально является подозреваемой. Кроме того, она выскочила замуж за жениха лучшей подруги через пятнадцать месяцев после ее исчезновения! На мой взгляд, несколько рановато. И я подумала, что поскольку ты владеешь юридическим языком, то, быть может, поможешь мне уговорить обоих принять участие в шоу.

— Мне не раз приходилось слышать, что я умею говорить очень убедительно. Но уверена ли ты в том, что они хотя бы окажутся дома?

— Я отправила сообщения на оба их телефона. Естественно, надо думать, они переговорили между собой, после чего Джефф позвонил мне. Пришлось поднапрячься, убеждая его, но он согласился встретиться с нами у себя дома.

Алекс наклонился к подруге, их плечи соприкоснулись.

— Палм-Бич — недурное место для съемок, вам не кажется, господин адвокат? — спросила она.

— Трудно не согласиться, — отозвался Бакли.

20

Перестроенный особняк из бурого камня оказался точно таким, каким выглядел, когда Лори ввела его адрес для просмотра изображений на картах Гугла.

Четырехэтажный, без лифта. И без консьержа.

Моран нажала звонок возле квартиры В, рядом с табличкой «Хантер/Уайт». Хотя мать Аманды и называла Меган именем «миссис Джеффри Хантер», Лори знала, что та сохранила свою девичью фамилию. Продюсер назвалась, но ответа не было. Секунды проходили в молчании, и она с волнением посмотрела на Алекса. Тот нажал на кнопку звонка во второй раз.

— Интерком сломан, миссис Моран! — донесся до их слуха голос сверху, со второго этажа над ними. Лори узнала Джеффа Хантера, выставившего голову в окно, по фото в его профиле в ЛинкедИн, которое ей показал Джерри.

— А вы — Алекс Бакли? — посмотрел хозяин дома на ее спутника.

Женщина заметила, что Джефф удивлен.

— Я как раз использовал в своем семинаре для начинающих адвокатов ваш завершающий аргумент по делу Джей-Ди Мартина, — сказал он. — Мастерский ход. Именно мастерский.

В ответ Алекс дружелюбно махнул рукой:

— Лестно слышать подобные слова. Благодарю вас.

— Поднимайтесь наверх. — Хантер бросил вниз кольцо с ключами, которое Бакли быстрым движением руки перехватил в воздухе.

— Ловко! — улыбнулся комментатор.

Пока Алекс отпирал входную дверь, Лори проговорила:

— А ты заметил, какими глазами он смотрел на тебя? Словно он ребенок, и Дерек Джитер[1] только что дал ему автограф.

— Я и есть Дерек Джитер для гиков от юриспруденции, — отозвался Бакли.

— Вот видишь? Я так и знала, что ты пригодишься.

Джефф ожидал их на втором этаже перед открытой дверью своей квартиры — темноволосый, примерно шести футов роста, кареглазый и напряженный.

— Будьте добры, входите. Кстати говоря, я — Джефф Хантер, однако, полагаю, вам это прекрасно известно. — Он обменялся с Алексом рукопожатием, после чего поздоровался с Лори.

К ее облегчению, Хантер вполне дружелюбно пригласил их расположиться в гостиной. Кварти-

---

[1] Дерек Джитер — один из самых известных американских бейсболистов современности, бывший игрок и капитан «Нью-Йорк Янкиз» (род. в 1974).

ра оказалась небольшой, но уютной, обставленной мебелью современного и колониального стилей, более-менее сочетавшихся друг с другом в этой обстановке. Коротко взглянув на фото в рамках, выставленные на приставном столике, Моран получила представление о внешности хозяйки этого дома. Высокая и худая, с длинными волнистыми черными волосами и острыми чертами лица, она являла собой противоположность Аманде.

— Меган еще не вернулась домой с работы, — пояснил Джефф, — и, очень возможно, явится домой не раньше, чем через час.

Лори надеялась переговорить с ними обоими, однако, с другой стороны, понимала, что иной возможности побеседовать с Хантером с глазу на глаз может и не представиться.

— Во время нашего телефонного разговора вы упомянули, что знакомы с нашей передачей, — начала она. — А это значит, что вы понимаете, что мы не выделяем кого-то одного в качестве подозреваемого. Нас интересуют те способы, которыми неразгаданное преступление может испортить жизнь людям, имевшим любое отношение к нему. Своей неопределенностью и незаконченностью.

— Да, когда кто-нибудь узнает мое имя, сразу начинаются шепотки, — с горечью проговорил Хантер.

Продюсер кивнула:

— Значит, вы понимаете, что я имею в виду.

— Еще бы! Я был глубоко потрясен исчезновением Аманды. Так потрясен, что однажды даже явился на встречу с прессой в ботинках из разных пар. Более того, уезжая из отеля, я даже не заметил, что куда-то подевались наши обручальные кольца. Бог мой, подобное расставание с Амандой стало для меня огромным ударом...

Алекс прервал адвоката:

— Вы сказали, что не нашли в своем номере обручальные кольца? Они были у Аманды? Не помню, чтобы кто-то говорил об этой краже в связи с ее исчезновением.

— Я до сих пор не знаю, что с ними произошло. Приехав туда в среду, я положил кольца в сейф в своем номере, хотя, признаюсь честно, мог и не запереть его. Кольца мог похитить кто-нибудь из служащих отеля, но как знать? Боже мой, я словно возвращаюсь обратно в прошлое! Пять лет назад сесть в этот самолет для меня было труднее всего, что я испытал в жизни. Собираться мне помогали друзья, Ник и Остин, они паковали вещи, если это можно так назвать. Я словно потерял разум. Мы заталкивали в чемодан одежду, обувь, все остальное... Вполне возможно, что кольца выбросил я сам, не заметив этого. Я вообще ничего не понимал. Я даже не понимал, что могу оказаться, как вы говорите, под подозрением, пока Ник и Остин не отвели меня в сторону и не сообщили мне, что полиция видит во мне главного подозреваемого.

Вспоминая этот момент, Джефф покачал головой.

— Они убедили меня в том, что надо заботиться о себе. Вся история вращалась вокруг денег, а именно вокруг того, что у семьи Аманды они были, а у моей их не было. Репортеры называли Аманду наследницей «Ледиформ». И в сравнении с ней я выглядел нечестным золотоискателем.

— И тогда вы наняли защитника? — спросила Лори.

— Да. Друзья позаботились обо мне, однако мне нечего было скрывать. Знаете ли, когда я впервые увидел ваше шоу, то сразу подумал, не обратиться ли к вам? Мне показалось, что будет неплохо напомнить людям о деле Аманды. Однако в итоге я решил, что отец Аманды не согласится на это.

— Почему же?

— Это не в его духе. Уолтер — человек в высшей степени спокойный и сдержанный. Старой школы. Подобный поступок мог бы показаться ему... вульгарным.

— Сейчас идея обратиться к нам принадлежала Сандре, — пояснила Лори, — но он согласился принять участие.

— Что также не похоже на него. В своей семье он был боссом во всех отношениях.

Моран почувствовала за этими словами обиду, однако решила вернуться к этой теме потом — когда придет ее время. *Если* оно придет.

Кстати говоря, они с тех пор разошлись, — рассказала она.

Джефф потупился:

— Не знал этого. Очень печальное известие. Мы не... Ну, скажем честно, мы прекратили общение. Как это странно... так давно не общаться с ними. Когда Аманда болела, я практически стал членом их семьи. Ко времени предполагавшейся свадьбы уже звал Сандру и Уолтера мамой и папой. Генри говорил, что я стал ему братом, какого у него никогда не было — настолько мы были близки. Даже Шарлотта, сестра Аманды, потеплела ко мне, а когда вы познакомитесь с ней, то поймете, что добиться этого непросто. Но когда я сообщил им, что встречаюсь с Меган... наверное, вы знаете об этом?

Лори кивнула.

— Я не хотел ничего скрывать от них. И сказал Сандре, что не сомневаюсь в искренности своего чувства к Меган. Это признание коренным образом изменило отношение Пирсов ко мне. В их глазах я перестал быть «святым Джеффри». Так они раньше звали меня — в порядке шутки, начавшейся во время болезни Аманды.

— Аманда была больна?

— Ко времени свадьбы она уже поправилась... а до того у нее была лимфома Ходжкина[1]. Диагноз ей поставили в двадцать шесть лет. Мы встречались с ней уже около года, но время от времени, иногда, как бывает в молодости.

— Всего только год? — поинтересовался Алекс.

— Ну как пара, да. В новостях утверждали, что мы были близки еще с колледжа, но в Колби мы только познакомились. Заново познакомила нас, по сути дела, Меган — после того как мы все перебрались в Нью-Йорк. Мы с Меган были начинающими адвокатами, а Аманда переехала сюда, чтобы открыть в нью-йоркском Сити контору отцовской компании. Мы с Амандой сразу же понравились друг другу, однако поначалу личные взаимоотношения не играли существенной роли. В то время мы оба были заняты прежде всего работой. Однако когда Аманде поставили этот самый диагноз, я вдруг понял, что не хочу провести ни одной секунды вдали от этой удивительной женщины. Я сделал ей предложение еще в те

[1] Лимфогранулематоз — злокачественное опухолевое заболевание лимфатической системы.

дни, когда мы не знали, выживет ли она. От химиотерапии ей было настолько плохо, что горько было смотреть. Тогда-то я и заработал прозвище «святого Джеффри». Всякий раз, когда она ходила к врачу, всякий раз, когда ей было плохо, я находился возле нее.

Алекс бросил на Лори озабоченный взгляд. Нетрудно было понять, что он видит теперь Джеффа иными глазами, чем предусматривала рассказанная Сандрой версия.

— А вы не считаете, что именно по этой причине люди были склонны считать, что она сбежала из-под венца? — поинтересовался Бакли. — Что, если она считала некрасивым отказывать вам после того, как вы находились рядом во время ее лечения?

— Аманда была не из таких. Когда она завершила лечение от рака, оказалось, что она похудела на целых двадцать фунтов, но духом не ослабела. И если на то пошло, полиция сразу развернула расследование в обратную сторону после того, как допросила меня. Очевидно, там предположили, что это сам «святой Джеффри» не захотел вступать в брак. И предпочел убить женщину, чем позорить себя разрывом с ней. И к тому же полагаю, что вы знаете о завещании.

— Сандра упомянула об этом. Завещание удивило семейство Аманды.

— Разве стал бы я государственным адвокатом, если бы стремился к деньгам? Если бы на то была моя воля, — печальным голосом проговорил Хантер, — мы сыграли бы скромную свадьбу в Нью-Йорке. Масштабная и пышная церемония нужна была Аманде и ее семье. Я и прежде не хотел их денег, и теперь не хочу. И если раньше я никогда не верил в то, что Аманда по собственной воле отказалась от счастливой жизни, то теперь все же питаю крохотную искорку надежды на то, что она жива.

— А когда вы поняли, что она пропала? — спросила Лори.

— Когда утром в пятницу она не вышла к позднему завтраку. Сперва мы решили, что она все проспала. Я попытался позвонить в ее номер, чтобы спросить, не надо ли послать завтрак в ее комнату. Она не ответила на звонок, и я отправился к ней, Меган пошла со мной. Аманда не открыла дверь. Мы стали искать ее — обошли спортивный зал, пляж, бассейн — и, наконец, попросили в отеле второй ключ. Увидев на постели аккуратно разостланное свадебное платье, я ощутил огромное облегчение. Нетрудно было подумать, что она только что примерила его и куда-то вышла. Однако Меган сказала мне, что в тот вечер Аманда примеряла платье еще перед обедом. А потом она добавила, что не видела, чтобы Аманда возвращалась в собственный номер. Тут стало понятно, что случилось несчастье. В то утро горничные не прибирали в ее комнате. И, как выяснилось, в ту ночь в постели никто не спал.

Данное Джеффом словесное описание той паники, которую он ощутил, осознав, что в ту ночь Аманда не ночевала в своем номере, казалось слишком подлинным для того, чтобы его можно было подделать. Однако Лори напомнила себе о том, что в его распоряжении было пять лет для того, чтобы отточить свою версию истории.

— Мистер Хантер, — проговорила она, — для меня вполне очевидно, что многие люди подозревают вас в исчезновении Аманды. И что вы хотите получить возможность обелить свое имя. Мы хотим взяться за это дело. И поскольку я не сомневаюсь в том, что вы в конечном счете захотите увидеть нашу передачу, я позволила себе взять с собой стандартное соглашение, которое мы просим подписывать участников наших передач перед съемками. — Заглянув в свой портфель, продюсер извлекла из него текст договора.

— То есть если я приму участие в шоу, то обязуюсь быть во всем честным? — переспросил Хантер. — И буду отвечать на все вопросы? О завещании. О своих отношениях с Амандой. Были ли мы и в самом деле счастливы? Не изменял ли я ей? Не сбежала ли она от меня из-под венца? И почему после всего я женился на ее лучшей подруге?

Лори не намеревалась лгать этому человеку:

— Да, подобные вопросы будут интересовать нас.

Перелистывая страницы, адвокат неторопливо кивал, оценивая текст.

— Ну, хорошо.

— Я могу прислать вам записи наших предыдущих выпусков, если вы хотите пересмотреть их и задать нам возникшие у вас вопросы, — предложила Моран.

— Нет, то есть о'кей, я согласен. — Сходив на кухню, юрист взял ручку со стола и начал подписывать страницы.

— Ну, отлично. — Лори не могла припомнить момента, когда потенциальный подозреваемый соглашался бы сняться в ее передаче настолько легко. Заметив, что Джефф не смотрит в их сторону, Алекс чуть подмигнул ей.

— Вы, кажется, удивлены, — проговорил Хантер, передавая ей подписанный договор.

— Нет, просто довольна.

— Миссис Моран, конечно, я не Алекс Бакли, но тем не менее неплохой адвокат и умею читать выражения лиц свидетелей. Вы были удивлены — потому что все-таки отчасти допускаете, что я мог убить Аманду и в таком случае не должен испытывать никакого желания сидеть перед камерой и беседовать с вами о ее исчезновении. Посему, Алекс, я и готов оказаться объектом ваших фирменных перекрестных допросов: потому что не делал ничего такого, что могло бы пойти во вред Аманде, и никогда не смог бы поднять на нее руку.

— Теперь вы получили шанс рассказать об этом миру, — проговорила Лори.

— Мне не столь важно, что обо мне думают люди. Я всего лишь хочу знать, что случилось с Амандой. Потому что не сомневаюсь в том, что она покинула этот отель не по своей воле.

21

Когда Меган Уайт вернулась домой, ее приветствовал распространявшийся из духовки восхитительный запах жаркого. Джефф стоял на кухне, и на нем был тот самый фартук с надписью «Настоящие Мужчины Пекут Пирожки», который она подарила ему в прошлом году.

— Как пахнет... — улыбнулась Уайт. Как же ей повезло с тем, что она вышла за мужчину, который умеет готовить! Все, что было связано с Джеффом, заставляло ее почувствовать собственное везенье.

Милый и ласковый, он был еще и ее ближайшим наперсником. А заодно и лучшим другом.

Она ожидала подходящего мгновения, чтобы начать выкладывать новости, а пока поинтересовалась:

— И что это у нас сегодня, Джефф?

— Баранья отбивная под чесноком и розмарином. Твоя любимая, между прочим.

Хантер приветствовал жену более долгим, чем обычно, объятием, а когда отпустил ее, стало ясно: случилось что-то плохое.

— Все в порядке? — спросила Меган.

— Садись.

— Джефф, ты пугаешь меня!

— Просто садись. Прошу тебя. — Как только женщина села, муж налил ей бокал «Просекко» и принялся ждать, пока она пригубит, однако Уайт не стала этого делать.

— Для того чтобы поговорить с тобой, никакое вино мне не нужно, — проговорила Меган. — Как прошла ваша встреча? Я совершенно не имела никакой возможности уйти с работы.

— Мне следовало сперва поговорить с тобой. Я подписал документы об участии в шоу.

* * *

Через пятнадцать минут Меган Уайт сидела на краю постели, глядя на все еще полный бокал, оставленный на краю ночного столика. Она переоделась в удобные домашние брюки и пуловер. Ей нужно было подумать. Хотя решение уже было принято. Она слышала уверенную нотку в голосе мужа.

Джефф сделал свой выбор. Он не спрашивал ее

разрешения, а только доносил до нее новость: он намеревается участвовать в этом шоу. И Меган прекрасно понимала, что, по сути дела, ее муж принял решение за них обоих. Как может она теперь сказать «нет»? Как это будет выглядеть, если, выйдя замуж за человека, за которого собиралась выйти Аманда, она попытается заблокировать новое рассмотрение ее дела?

Женщина утерла слезу тыльной стороной ладони. Когда дело Аманды вовсю гудело на кабельном канале «24/7», Меган умудрилась остаться в стороне от телевизионной славы. Центр и передний край занимали родители Аманды и Джефф. Прошел не один месяц до того момента, как репортеры перестали требовать у Хантера новые комментарии.

Когда они женились, Меган ужасала перспектива возобновления медиаистерии. Именно поэтому они без шума зарегистрировали брак. Именно поэтому она не стала принимать фамилию Джеффа. Она не хотела никакого повышенного внимания к себе.

Однако предстоящее шоу поставит их обоих перед миллионами глаз. Телезрители захотят увидеть женщину, способную увести жениха пропавшей приятельницы. И они захотят собственными глазами увидеть мужчину, который после исчезновения своей возлюбленной Аманды решился жениться на другой женщине. Их обоих возненавидит вся страна.

Меган поднесла было бокал к губам, но сразу поставила его обратно, напомнив себе о том, что теперь ей нельзя. Она представила себе, как в присутствии группы чужих людей рассказывает в камеру о собственном браке: «Ощутив первое чувство друг к другу, мы с Джеффом, как и все прочие, удивились».

Закончив колледж, они потеряли связь друг с другом, однако дороги их пересеклись после юридической школы, когда Меган помогла Джеффу разобраться в путаном, связанном с иммиграцией деле, интересовавшем одного из его клиентов. После этого в качестве благодарности он пригласил ее на обед. После двух встреч их отношения оставались строго профессиональными и дружескими. А потом Джефф натолкнулся на Меган в находящейся возле зала суда кофейне, где она назначила встречу Аманде. Уайт немедленно заметила проскочившую между ее друзьями искру. Быть может, если бы Аманда появилась в этой кофейне всего на несколько минут позже, их дороги никогда больше не пересеклись бы.

Но как случилось, что они с Хантером в итоге соединились? Такой вопрос им непременно зададут на этом телешоу. На самом деле это произошло из-за Аманды. Исчезновение любимой подруги и невесты стало общей для них потерей, и они начали утешать друг друга. Сначала их соединила дружба, глубокое чувство пришло потом. И благодаря связи, созданной этим чувством, Меган поняла, что надо теперь делать.

Направившись в кухню, она заглянула сначала в ванную комнату и вылила вино в раковину. Джефф возле кухонного стола резал помидор, и женщина крепко обняла его со спины.

— Ладно, мы сделаем это. Сделаем вместе. Ради Аманды. И ради нас с тобой.

Повернувшись, Хантер поцеловал жену в щеку.

— Я знал, что могу рассчитывать на тебя. А как у тебя шли сегодня дела на работе? Когда ты вернулась домой, мне показалось, что ты хочешь что-то сказать мне.

Он всегда умел понять, о чем Меган думает.

— Ничего особенного. Просто я сумела продлить визу миссис Трэн, — ответила она.

— Это хорошо. Я знал, что тебя волновал этот вопрос.

Пожалуй, лучше подождать еще несколько дней, прежде чем сообщить ему настоящую новость. Меган не хотела, чтобы все эти разговоры об Аманде затмили тот факт, в котором уже была уверена и на который давно надеялась. Домашний тест на беременность дал положительный результат. А теперь она записалась на прием к своему врачу, чтобы получить дополнительное подтверждение. Если она действительно в положении, нужно убедиться в том, что прошлые проблемы, из-за которых она принимала лекарства, не способны повредить ребенку. *Ух ты, у нас будет малыш!* При этой мысли женщина ощутила, как к горлу у нее подкатывает комок.

Джефф обнял ее, и Меган почувствовала себя в безопасности. Все теперь будет хорошо.

— Только не волнуйся из-за этого шоу, — сказал он. — Мы просто объясним людям, что никогда не испытывали друг к другу никаких чувств... и полюбили только... после этого. Все будет хорошо, люди поймут нас.

Уайт уже не раз приходилось объяснять, когда и как развивались их отношения. Своим родителям. Их друзьям. Стандартный вариант истории гласил, что влюбленность осенила их только после исчезновения Аманды. «Хотя если речь идет обо мне, — подумала Меган, – это не так. Я давно и по уши была влюблена в Джеффа. Однако вовсе не обязательно кому-то это знать».

Лгать она умела не хуже, чем ее старая подруга Аманда.

22

Оставив Джеффа в его квартире, Лори и ее друг сразу же направились в «Готем бар и гриль». Владелец приветствовал Алекса полным энтузиазма рукопожатием.

– Добрый вечер, мистер Бакли.

Алекс представил его Лори, назвав Джозефом. Она уже несколько раз бывала в этом ресторане, однако не была накоротке знакома со здешним персоналом и тем более не могла даже надеяться зарезервировать столик за десять минут до приезда по телефонному звонку из машины.

Как только они уселись, явился сомелье, предложивший Бакли три варианта каберне на выбор. Алекс, безусловно, был здесь своим человеком. Впрочем, Моран и так это знала.

Когда выбранное ее другом вино было разлито по бокалам, Лори проверила свой мобильник. Отец прислал ответ на сообщение, посланное ею из машины: «Тимми в восторге от заказанной нами пиццы. Не волнуйся, наслаждайся обедом».

Моран знала: ее отец доволен тем, что ему придется провести вечер только в обществе собственного внука, однако все равно ощущала долю вины, поскольку никак не могла вовремя очутиться дома, чтобы пожелать сыну спокойной ночи.

— Дома все в порядке? — спросил Алекс. Конечно же, он понимал, в каком направлении могли идти ее мысли.

— Все хорошо. Удивительно, сколько счастья пицца-пепперони может подарить девятилетнему мальчишке. — И, твердо решив весь вечер не говорить о Тимми, Лори спросила Бакли, как ему показался Джефф. — А ты заметил, что это он сам упомянул о завещании Аманды?

— Он явно не глуп и поэтому прекрасно понимает причину подозрений.

— Ну, можно сказать, что ты считаешь его умницей, потому что он видит в Алексе Бакли своего идола.

— А тебе нравится поддевать меня, — ухмыльнулся в ответ комментатор.

— Итак, ты веришь словам Джеффа о том, что он никогда не хотел денег Аманды и не добивался их?

— Скорее всего, да. Ты видела его квартиру... скромную, но комфортабельную. Если бы он хотел чего-то большего, то, конечно, смог бы заработать, оставив работу государственного защитника. Или же мог бы уже добиться официального признания Аманды мертвой, чтобы получить наследство.

После разговора с Сандрой Лори узнала, что законы штата Нью-Йорк предоставляли Хантеру право объявить ее мертвой, не дожидаясь истечения положенных семи лет. Судья мог взвесить все обстоятельства исчезновения и заключить, что исчезнувшая персона почти бесспорно мертва.

— Он может не знать этого, Лори. Адвокаты, специализирующиеся на уголовных делах, не всегда знакомы со всеми входами и выходами, каковые имеются в наследственном праве, — заметил Бакли.

Знал или нет Джефф о том, что имеет возможность унаследовать деньги Аманды без обнаружения ее тела, относилось к числу тех деталей, которые им следовало выяснить до начала съемок. Согласно принятой у них методике, они начинали общение с участниками шоу на мягкой ноте, как делали только что, в квартире Хантера. Но после окончания предварительного исследования, уже перед камерой, Алекс начинал задавать неудобные вопросы.

— Еще раз спасибо тебе за то, что съездил со мной в Бруклин, — сказала Моран.

— Ты могла обойтись без моей помощи. Во всяком случае, Джефф и сам был готов подписаться. И он с уверенностью сказал, что сумеет уговорить на это свою жену.

— Он совсем не ошибся, когда сказал, что я удивлена. По правде сказать, я чуть не свалилась со стула.

— Ты ожидала, что он не проявит желания сотрудничать с нами только потому, что он — адвокат? Не все мы — трудные в общении люди, — сухо улыбнулся Бакли.

— Сандра, мать Аманды, преподнесла его мне как сребролюбивого альфонса. Два его лучших друга — ярко выраженные холостяки. Но мне Джефф, напротив, показался симпатичным и искренним человеком.

— Не хочу даже говорить, сколько у меня было виновных клиентов, способных при необходимости сыграть роль честного человека. Можно «Оскары» раздавать в своем кабинете.

— Не сомневаюсь в том, что ты прав. Но я обязана убедиться в том, что Сандра не перепрыгнула прямо к выводам. Вот почему я всегда с осторожностью беру дела, так сказать, семейные. Слишком легко бывает склониться к предвзятому мнению.

— Я знаю тебя, Лори. Ты всегда стремишься быть объективной.

Появившийся официант принялся расписывать новые добавления к меню. Моран согласно кивала, хотя заранее решила, что именно закажет. Продюсер надеялась, что Алекс не ошибается насчет ее способности сохранять нейтралитет. Она кое-что не сказала ему — а именно то, что нечто в Джеффе напомнило ей Грега. Лори заметила это сходство, когда Хантер упомянул о том, что однажды явился на пресс-конференцию в разных ботинках. Однажды, проведя на дежурстве слишком много часов, Грег тоже вернулся домой в туфлях от разных пар. Но дело было не только в одном этом общем смешном происшествии. Джефф показался Моран человеком легким и душевным уже в тот момент, когда бросил вниз свои ключи из окна. Можно ли так непринужденно подделать эти душевные качества? Лори сомневалась в этом.

Но как он поведет себя в тот момент, когда Алекс начнет гвоздить его вопросами?

23

В двадцати четырех кварталах севернее официант нес три фунта изысканного бифштекса к столику в «Стейкхаусе Кина». Ник Янг осмотрел совершенную корочку на куске мяса и жестом выразил свое одобрение.

Как только их бокалы были заново наполнены мартини и официант удалился от столика, Янг поднял свой бокал, чтобы произнести новый тост.

— А что, почему бы и нет? — согласился с ним Остин Пратт.

— За дураков и за яхты! — отозвался Ник, и оба расхохотались.

В прошлом году они подписались на масштабное международное лодочное чартерное обслуживание, и теперь во множестве мест, где эти двое могли оказаться возле воды, они имели право затребовать на местной пристани небольшое суденышко в личное пользование. Оба друга и в самом деле обожали небольшие яхты со спальными каютами, на управление которыми имели лицензию. Они практиковали это занятие с прошлого лета, иногда вместе, иногда поврозь, и уже провели три отпуска на яхте в Карибском море.

У Ника была сделанная на заказ табличка, которую он всегда помещал над бортом нанятого им кораблика. На ней было написано: «Сначала дамы», и он всегда соблюдал это правило. Общество Янга на яхте разделяли в первую очередь дамы, а не клиенты.

Остин же обнаружил, что лодка представляет собой превосходное средство для развлечения потенциальных клиентов, и приглашал их покататься во время ланча или обеда. Вывозя клиентов, он нанимал капитана управлять лодкой и официантку, разносившую напитки и готовившую угощение. Следуя примеру Ника, Пратт также изготовил знак, который помещал на своих лодках. Для себя он выбрал другое имя: «Одинокий голубь».

Проследив за тем, как его старый друг одним глотком опрокинул бокал мартини, Остин дал знак принести еще один. Внешность Янга, внешность кинозвезды, очевидным образом привлекла внимание двух молодых леди, сидевших за соседним столиком. Впрочем, Пратта смущало, что его приятель слишком много пьет.

Бывали времена, когда питейные запросы Ника его не беспокоили. Однако теперь Остин больше не был невысоким, застенчивым ботанического типа мальчишкой, переехавшим в дом на противоположной стороне улицы в Балтиморе, когда им обоим было по семь лет. И хотя они были ровесниками, Ник сделался для него подобием старшего брата, присматривавшим за ним в младшей школе, так как Пратт был меньше ростом и не так уверен в себе, как остальные дети.

«Никого не удивило, что после того, как Ник подал заявление и поступил в Колби, я сделал то же самое, — подумал Остин. — Ник, совершенно естественно становившийся популярным повсюду, где ему приходилось бывать, постарался включить меня в сферу своей деятельности. Друзья Ника сделались моими друзьями».

Пратт не понимал того, что Янг смотрел на него с некоторой завистью. «Он похож на бухгалтера, — думал Ник, — в этих лишенных оправы очках и при поредевшей шевелюре. И если подобную ему женщину зовут «простушкой Джейн», то Остин выглядит как «простак Джо». Хотя если прежде он стремился стать похожим на меня, то в некоторых отношениях зашел дальше. Я достаточно хорошо обеспечен, но он богаче. Это Остин управляет одним из крупнейших из сфокусированных на биотехнике портфелей хеджевых фондов. Это у него есть дома в Манхэттене, Ист-Хэмптоне и Колорадо. Это он пользуется собственным самолетом...» Тут Ник утешил себя следующей мыслью: — Но все же я выгляжу много лучше, чем он. Так что я догоню его. Лучше того — перегоню. И, быть может, когда принесут чек, стоит позволить Остину взять его».

Они успели только наполовину осилить стейки, прежде чем перешли к обсуждению телефонных звонков, полученных ими обоими от Джеффа Хантера.

— У меня создалось впечатление, что Джефф решился на все, — мрачным тоном проговорил Ник.

— И у меня тоже, — кивнул его приятель.

— Я люблю его, как родного брата, но никак не могу понять этого парня. Пашет, как вол, и притом за гроши. Живет в таком захудалом местечке, как Бруклин. И скажи на милость, зачем ему потребовалось соваться в это шоу, зная, что полстраны считает его виновным в смерти Аманды?

— Он просил, чтобы я согласился принять участие в шоу, если продюсер обратится ко мне, — проговорил Остин.

— А не стоит ли нам попытаться отговорить его?

Пратт пожал плечами:

— Ты знаешь Джеффа лучше меня. И только что сам сказал, что его решение показалось тебе окончательным.

Ник, бесспорно, хорошо знал Хантера. «Мы подружились, когда на первом курсе Колби оказались соседями по комнате, — подумал он. — Сообразительные и расторопные парни, девушки нас любили. — Однако на этом сходство кончалось. — И если Джефф был человеком тихим и трудолюбивым, — вспоминал Ник, — то сам я за четыре года никогда не упускал возможности выпить пива в веселой компании. После окончания колледжа наши пути разошлись. Джефф стал работать государственным защитником, а я отправился за деньгами на Уолл-стрит. После юридического училища Джефф начал встречаться с Амандой, невероятной красавицей, за которой готовы были ухаживать все парни в кампусе. У нас с Амандой же было несколько свиданий во время учебы в колледже, ничем, впрочем, не закончившихся». Янг попытался спрятать улыбку, когда вспомнил, как Остин на старшем курсе сообщил ему о том, что намеревается пригласить куда-то Аманду.

— Не трудись, друг мой, дело абсолютно бесперспективное, — сказал Ник тогда.

«И по сей день, — сказал себе Янг, — я все время играю эту роль покорителя женских сердец, но как только овладеваю очередной жертвой, сразу теряю к ней интерес. Однако каким-то образом, при всей разнице, которая существовала и существует между мной и Джеффом, наша дружба всегда оставалась неизменной».

Он посмотрел на Остина:

— Итак, ты намереваешься участвовать в шоу?

— Конечно, если ты согласишься. В самом деле, разве у нас есть выбор? Если можно извлечь урок из той ситуации, в которую попал Джефф, он заключается в том, что люди всегда будут подозревать всякого, кто заботится о себе самом.

— Это ты тогда предложил Джеффу взять адвоката, — напомнил Ник своему другу.

— Я пытался помочь ему. Он был тогда настолько вне себя от горя по Аманде, что даже не замечал тех инсинуаций, которые делала пресса в его сторону.

Аманда принадлежала к чрезвычайно богатой семье, сам же он был женихом, происходящим из, так сказать, рабочего класса. Вполне естественно, что полиция питала известные подозрения в его отношении, — с жаром проговорил Пратт.

— Эй, не надо оправдываться! Я понимаю, что ты заботился о нем.

«Конечно, Остин действовал из благих побуждений, — подумал Ник, — однако Джеффа во многих отношениях было трудно понять. Он всегда был таким загадочным. А в тихом омуте, как известно...» И хотя многие предполагали, что Хантер может иметь какое-то отношение к исчезновению Аманды, никто не предполагал возможности соучастия его друзей по колледжу.

— Как ты понимаешь, — продолжил Остин, — на шоу нам могут задать вопросы, неприятные и ненужные Джеффу.

— Ты имеешь в виду ту фразу, которую он сказал тем вечером, выпив лишнюю рюмку вина?

— Мы не сообщали об этом полиции.

— Они не задавали нам прямого вопроса, — уклонился от ответа Ник. — В конце концов, не наше это дело — исполнять их работу.

Когда стало ясно, что Хантер может оказаться подозреваемым, он, последовав совету Пратта, нанял адвоката. И оба его друга, Ник и Остин, решили, что не будут лгать, чтобы обелить Джеффа, однако не будут также без конкретных вопросов со стороны полиции выкладывать известные им факты.

Участие в национальной телепрограмме, возможно, дастся им проще, чем сотрудничество с полицией, через которое обоим пришлось пройти пять лет назад. Как оба они прекрасно помнили, полицейский допрос наверняка оказался бы куда строже.

— Значит, если продюсеры зададут нам точный вопрос, — проговорил Остин, — мы намереваемся рассказать им всю правду?

— Что скажешь ты — дело твое. Я не могу решать за тебя.

— Ну, нам не стоит противоречить друг другу.

— Ты хочешь сказать, что готов солгать в интересах Джеффа, если я попрошу тебя об этом? — спросил Янг.

— Мы многим рискуем, Ник. Инвесторы не захотят иметь дело с личностью, пойманной на лжи при рассмотрении дела о бесследно пропавшей женщине.

Ник молча жевал, взвешивая варианты.

— Вопрос на самом деле не слишком серьезный. Немало народа делает ноги из-под венца за несколько дней до свадьбы. Это нисколько не удивительно. Но Джефф совершенно не намеревался уклоняться от брака.

В тот вечер, после которого исчезла Аманда, Хантер поведал друзьям, что не уверен в том, что эта девушка станет для него превосходной парой. Он сказал одну лишь короткую фразу, и когда Янг напомнил ему о том, что поворачивать назад слишком поздно, Джефф поспешно заверил его в том, что просто «волнуется».

— Значит, договорились, — сказал Остин. — Мы расскажем продюсерам об этой реплике.

Ник кивнул.

— А я извещу Джеффа о наших намерениях. Если он собирается воспользоваться нашими показаниями в своих интересах, пусть помнит, что мы должны в том числе защищать собственную репутацию.

— Странная получается вещь, — заметил Пратт. — Мы снова окажемся вместе, как и в прошлые времена.

— Все будет как в студенческие года. А теперь поболтаем с двумя крошками, сидящими у бара. Забиваю обеих!

— Ну, раз так, — объявил Остин, — за обед платишь ты.

— Кстати, а ты знал, что в прошлом году «Гранд Виктория» добавила причал к списку предоставляемых удобств? Я намерен зарезервировать за собой шлюпку. У меня есть два клиента в Бока, и я хочу встретиться с ними.

— Отличная идея. Я сделаю такой же заказ. Не сомневаюсь в том, что там у нас хватит свободного времени на отдых.

Давая знак, чтобы принесли чек, Ник не видел улыбки, появившейся на губах Остина.

24

За первую половину следующего рабочего дня Лори, Джерри и Грейс успели проделать большой объем подготовительной работы, позволявшей начать планирование съемок. Джефф позвонил утром и подтвердил, что и сам он, и его жена Меган готовы принять участие в шоу. Он также пообещал, что его шаферы, Ник и Остин, согласятся сотрудничать, и передал Лори их адреса и телефоны.

После чего ее вызвал к себе Бретт. Как обычно, затем, чтобы сказать, что намеченный выпуск следовало отснять еще вчера.

— И когда вы будете готовы лететь во Флориду? — поинтересовался он.

Лори уже готова была ответить боссу: *«Вчера»*. Однако сказала другое:

— Через неделю. Операторы могут выехать на несколько дней раньше. Мы хотим производить съемки в разных местах отеля. Свадебные гости наслаждались жизнью, были на пляже, в бассейне, выпивали на веранде... Эти места мы используем в качестве фона.

Лето во Флориде нельзя назвать идеальным, но Тимми, во всяком случае, пока еще не надо будет идти в школу.

Алекс сказал Моран, что, поскольку время поджимает, он может провести предварительные собеседования, ограничивающиеся, как говорила она сама, «теплыми и неопределенными» вопросами по телефону.

И теперь Лори с Джерри и Грейс находились в ее кабинете, чтобы просмотреть пленки, отснятые камерой охраны за три дня, предшествовавших исчезновению Аманды.

— Давайте начнем с уточнения хронологической последовательности, — произнесла продюсер. — По словам Сандры, свадебные гости прибыли утром в среду и сразу же отправились на пляж, после чего отобедали в выходящей на океан столовой. Сама Сандра с Уолтером планировали прибыть в пятницу к обеду после репетиции бракосочетания. Однако в последний раз Аманду видели вечером в четверг.

Дальше Лори следовала показаниям приятелей Джеффа по колледжу, Ника Янга и Остина Пратта.

По словам обоих, Генри, брат Аманды, в тот вечер ушел из ресторана сразу же после того, как закончилась холостяцкая пирушка. Хантер и другие его гости после обеда выпили в ресторане, а потом поднялись в его номер, чтобы принять по рюмочке еще и на ночь глядя. По их совместному мнению, они провели у него примерно сорок минут. Оба друга считали, что оставили номер Джеффа незадолго до одиннадцати вечера.

Оба они сказали, что будут рады помочь шоу, если этого хочет Хантер. Оба они подтвердили показания Джеффа о том, где он находился в ночь исчезновения Аманды. Более интересным оказалось, что, по общему мнению Ника и Остина, после обильной выпивки их друг заявил им обоим, что не совсем уверен в том, что Аманда является подходящей женщиной для него. С другой стороны, оба они назвали его реплику невинной и вполне приемлемой для жениха, которого от великого события отделяло всего два дня.

В любом случае, подумала Лори, Бретт будет рад появлению в шоу двух успешных, имеющих брачную перспективу холостяков. Босс полагал, что часть телезрителей усматривает в подобных шоу только источник сплетен о жизни богачей и их проблемах.

– Значит, это все? – спросила Грейс, перегибаясь через плечо Джерри.

Иному мужчине стало бы нехорошо, когда возле его правого уха возникла бы полная и почти ничем не прикрытая грудь ассистентки, однако Клейн и Гарсия вели себя как брат с сестрой.

Джерри добавил Ника и Остина к списку в своем блокноте, после чего вслух зачитал имена, чтобы убедиться в том, что все они уместились на одной странице.

— Сперва, конечно, Сандра. Кроме того, я говорил с ее мужем Уолтером. Он тоже согласился помочь нам, однако считает, что мы затеяли бой с ветряными мельницами.

— А он не сказал почему? — спросила Лори.

— У меня создалось впечатление, что он хочет сохранить веру в то, что с его дочерью все в порядке.

Моран кивнула. Несмотря на то что она уже привыкла во многом полагаться на Джерри, готовности доверяться возникшим у него впечатлениям она пока еще не испытывала, хотя как раз в данном случае думала, что он скорее всего прав.

Уж слишком безупречно ложился этот фрагмент в состав общей головоломки. Невзирая на то что первая встреча с Сандрой произошла всего несколько дней назад, они уже сумели заручиться согласием всех необходимых им персон. А кроме того, все эти персоны были готовы подкорректировать свои личные планы и посетить Палм-Бич.

— Видео готово? — спросила продюсер у Джерри.

Из «Гранд Виктории» ей прислали заархивированный файл, содержащий все записи, отснятые камерами слежения во время пребывания на курорте свадебных гостей, и едва Клейн включил просмотр, как Лори увидела перед собой прекрасную молодую женщину в открытом, украшенном растительным узором платье, быстрым шагом проходившую через крытый плиткой альков мимо оранжевых цветов.

— К этому кадру мы можем вернуться и потом, — сказала продюсер. — Давайте просмотрим материал, отснятый в фойе ночью со среды на четверг.

Джерри пролистал видео вперед — до тех пор, пока на экране не показались три женщины, стоявшие возле лифтов. Теперь Лори уже могла опознать их как Аманду, Шарлотту и Меган.

Она протянула руку к мышке и остановила просмотр. Временная отметка указывала на 10:55 вечера.

— А где Кейт? — спросила Моран.

Она уже не удивилась тому, что у ее помощника был готов ответ:

— Она сказала полиции, что вернулась в номер раньше других девушек. Все прочие были одинокими и привыкшими засиживаться допоздна. Однако Кейт тогда уже была женщиной замужней... у нее уже был только начинавший ходить малыш, плохо засыпавший и неспособный бодрствовать вместе с остальными.

Лори сделала отметку в своем блокноте и снова включила просмотр. Далее последовали кадры, постоянно присутствовавшие в новостях в дни, последовавшие за исчезновением Аманды.

Все три женщины вошли в кабину лифта, но Аманда вышла из нее, прежде чем двери успели закрыться. Теперь на ней был не сарафан, а синее платье и босоножки на танкетке. Моран вновь нажала на паузу.

— Это здесь она сказала, что потеряла какую-то вещь? — спросила она.

— Да, — ответил Джерри. — Этот вопрос был задан по отдельности Шарлотте и Меган, и обе они были уверены в своей памяти. Все произошло очень быстро, как будто Аманду вдруг осенила какая-то мысль. «Я кое-что забыла» — так они обе воспроизвели ее слова. В тот момент они подумали, что она, возможно, оставила что-то в гостиной, где они выпивали после обеда, однако Аманда ушла так внезапно, что они не успели ни о чем ее спросить.

— Однако никто из тех, кто находился в гостиной, не помнит, чтобы она возвратилась туда? — уточнила продюсер.

Клейн покачал головой:

— Она просто исчезла, растворилась в воздухе. По одной из теорий, это самое «забыла» было для нее предлогом для того, чтобы найти Джеффа. Некоторые люди полагают, что они в тот вечер подрались...

— И кто же *эти самые люди*, которые верят в такую теорию? — спросила Лори.

Грейс протянула руку к лежавшему на столе конверту из манильской бумаги и передала его начальнице. Открыв конверт, та увидела в нем копии вырезок из «Палм-Бич пост». Все они были подписаны некоей Джейнис Карпентер. Пока Моран перебирала страницы, ее помощница объяснила:

— Джейнис Карпентер — это местный, флоридский репортер. Она глубже всех занималась делом об исчезновении Аманды. По ее словам, однажды она получила анонимную информацию о том, что Джефф и Аманда все время ссорились после приезда в отель.

— *Однажды* и анонимно? — переспросила продюсер. — Даже имея дело с официальными источниками, репортер обязан воспользоваться двумя, прежде чем пускать заметку в печать.

— Ну, конечно, ни одна Пулитцеровская премия ей не грозит, — проговорила Гарсия. — Она скорее автор таблоида.

Все следующие четыре часа они просидели за длинным столом в кабинете Лори, просматривая видеозаписи, которых оказалось куда больше, чем она могла предположить.

Джерри умудрился вывести на экран сразу четыре записи.

«Администрация отеля, безусловно, постаралась сохранить всю относящуюся к делу информацию», — подумала Лори, прежде чем заняться своим телефоном, отвечая на сообщения и письма.

Теперь они просматривали материалы, отснятые в начале того вечера, перед обедом. В отеле было по-прежнему людно, а Аманда была жива и здорова. Моран почувствовала, что откладывает свой телефон, следуя сигналу периферийного зрения.

— Подожди-ка! — воскликнула она. — Перемотай назад.

Джерри протянул руку и выполнил указание.

— Тут опять Аманда! — воскликнула Лори, узнав сарафан невесты. Мисс Пирс находилась в дворике, где располагалось большинство бутиков отеля. На какое-то мгновение она остановилась возле витрины, по всей видимости, перед понравившимся предметом одежды, а потом прошла дальше.

— Точно, она, — согласилась Грейс.

— Эти кадры были отсняты за несколько часов до того, как ее видели в последний раз выходящей из лифта, — прокомментировал Клейн.

— Я знаю, но посмотрим еще раз, — сказала продюсер, и Джерри отмотал запись на несколько минут назад, после чего снова включил просмотр.

На этот раз Лори забрала у него мышь, дождалась нужного момента и нажала на паузу.

— Вот, посмотрите сюда. — Она указала на зернистое изображение как будто бы мужской фигуры и еще раз воспроизвела несколько последних секунд.

Мужчина шел с правой стороны экрана на левую. Он прошел мимо Аманды, остановившейся возле витрины спиной к камере. Как только она исчезла за правым краем экрана, развернулся на девяносто градусов и отошел от витрины. И за мгновение до того, чтобы исчезнуть из поля зрения, этот человек едва заметно повернулся, миновал витрину и отправился дальше.

— Вы видели это? — проговорила Моран. — Он пошел туда же, куда и Аманда.

— Он следовал за ней, — заметила Грейс.

Все трое просмотрели эти несколько секунд еще раз.

— А что, если по неведомой нам причине он вернулся назад в свой номер? — усомнился Джерри.

— Этот человек что-то нес в руках. — Лори вновь прокрутила назад видеоленту и остановилась на зернистом кадре. — Ты можешь увеличить изображение?

Клейн попробовал это сделать, однако разрешение оставляло желать лучшего.

— Какая-то сумочка... что-то в этом роде, — заметила Гарсия. Грудь мужчины пересекал какой-то ремешок, соединявшийся с небольшим футляром на бедре.

— Похоже на фотоаппарат, — проговорил Джерри.

Моран прищурилась, как будто это могло помочь в данном случае. Возможно, ее помощник прав. Похоже на чехол фотоаппарата.

— Да, на профессиональную камеру, — проговорила она. — Пять лет назад большинство людей уже делали фотоснимки своими телефонами. Мы уже знаем, кто именно снимал их свадьбу?

Лори вспомнила свою с Грегом свадьбу. Фотограф побывал на ее репетиции, и она вполне могла представить себе, что родственники Аманды попросили своего фотографа сделать несколько простых и непринужденных снимков предсвадебного пиршества.

Джерри без малейшего замешательства протянул руку к лежавшему на столе скоросшивателю и открыл его на заранее заложенной странице. Его организаторские способности были одной из многих причин, обуславливавших его важный вклад в общий успех шоу.

— Фотографа зовут Рэй Уокер. Полиция допросила его — как и всех, имевших отношение к свадьбе. — Глаза Клейна были обращены к отчету, однако Лори видела, что он уже знает содержание. — Действительно, вечером в четверг он находился на территории гостиницы, чтобы сделать снимки свадебного веселья в непринужденной обстановке, однако, по его словам, ушел в пять часов, так как имел заказ на съемки другой свадьбы в этот же самый день.

Взгляд молодого человека обратился к фигуре мужчины, который как будто бы следовал за Амандой на экране компьютера.

— Этот кадр отснят в пять часов и тридцать две минуты, так что, по словам Уокера, к этому времени его уже не было в отеле.

Лори вглядывалась в застывший на экране силуэт. Рост его было трудно оценить, он казался не высоким и не низким. Пожалуй, этот человек был несколько круглолиц, но не от излишнего веса.

— А у нас есть фото Уокера? — спросила Моран подчиненных.

— Нет, но, согласно отчету, пять лет назад ему было пятьдесят лет, — сказал Клейн.

Человек на экране, пожалуй, казался Лори моложе, хотя нечеткое изображение не допускало уверенности. Посмотрев на часы, она отметила, что ей пора уходить на встречу с сестрой Аманды Шарлоттой.

— Мне надо идти. И запиши, что нам надо будет разобраться с Уокером, — обратилась она к Джерри, — просто на всякий случай. Возможно, это просто увлеченный фотографией турист. Но с другой стороны... — Женщина помедлила. — Аманда была на удивление красива. И вполне возможно, что она могла привлечь внимание какого-то мужчины, который начал преследовать ее.

— То есть маньяка? — спросила Грейс.

— Именно так.

25

Вестибюль фирмы «Ледиформ» вполне подошел бы дому высокой моды. Он был обставлен мебелью, крытой бархатом винного цвета, а на стенах висели черно-белые модельные фото. Сандра нисколько не преувеличивала, когда сказала, что семейный бизнес за последние годы несколько изменил свой бренд. Когда Моран была ребенком, ее бабушка покупала ледиформовское «исподнее». Лори была тогда слишком мала, чтобы понимать, зачем нужны все эти застежки и пряжки, а также почему бабушка тратит столько времени на то, чтобы втиснуться в эти тяжеловесные конструкции, однако она помнила, в какой трепет повергал ее сам процесс бабушкиного одевания. Нынешний же «Ледиформ» стал синонимом женского счастья и удобства, здорового тела.

Женщина примерно одного с Лори возраста открыла перед ней одну из створок двойных дверей и поприветствовала ее улыбкой. Рослая, должно быть, пяти футов и десяти дюймов, чуть тяжеловатого сложения, она могла похвастаться каштановыми волосами до плеч и как будто бы не пользовалась макияжем. Предварительная подготовка подсказала Моран, что это Шарлотта Пирс, нынешний вице-президент компании «Ледиформ», в данный момент интересовавшая продюсера в качестве старшей сестры Аманды Пирс.

— Чем я могу помочь вам, миссис Моран? — спросила Шарлотта, как только они обе уселись в ее кабинете. — Вы решили взяться за дело моей сестры?

Лори договорилась о встрече через секретаршу Шарлотты, но еще не говорила непосредственно с ней.

— Должна сразу сказать вам, что мы не *беремся за дела*, как это делают адвокаты и частные детективы, и ваша семья не будет фактически являться нашим клиентом, — объяснила она. — Однако мы пристально рассмотрим обстоятельства исчезновения вашей сестры в следующем выпуске нашей программы.

— Великолепно. Я уже говорила матери, что буду рада принять участие, если это потребуется.

— Мы действительно ужасно нуждаемся в вас. Миссис Пирс сообщала мне о вашем согласии. Но мы предпочитаем двойную проверку. Я подготовила документы, оформляющие ваше участие. — Достав из портфеля контракт, Лори пододвинула его через стол к Шарлотте. Она могла бы послать ей бумагу по электронной почте, однако у нее была и еще одна причина для этого визита.

Пока мисс Пирс просматривала документ, Моран попробовала занять ее легкой беседой.

— Мне говорили, что вы были подругой невесты.

— Гм-м-м? — отозвалась Шарлотта, чье внимание было занято чтением. — Ах да, ну конечно! По-моему, невеста просто обязана пригласить старшую сестру на свою свадьбу в такой роли.

— Однако вы с Амандой были близки, не так ли? Были не просто сестрами, но и сотрудницами.

— Пожалуй, она порой могла бы сказать — *слишком близки*. Заниматься профессиональной деятельностью в обществе членов своей семьи подчас бывает непросто.

Лори кивнула. Остин Пратт и Ник Янг уже говорили ей о некоем подростковом соперничестве между сестрами Пирс, причем больше со стороны Шарлотты, нежели Аманды. По их словам, Шарлотта не проявляла подлинного интереса к свадьбе сестры. Ей полагалось произнести тост на свадебной репетиции в пятницу, однако она попросила Ника сделать это за нее. Впрочем, Аманда так и не явилась на этот обед, так что тост остался непроизнесенным. Задумавшись, Лори готова была предположить, что сестра невесты заранее знала о том, что та не будет присутствовать на репетиции.

— Ваша мать сообщила мне, что это Аманда предложила учредить в Нью-Йорке офис вашей компании, — сказала Моран.

В выражении лица Шарлотты трудно было ошибиться.

— Да, идея принадлежала Аманде. После ее исчезновения мне удалось держать курс в правильном направлении, однако как знать, где могли бы мы оказаться, если бы она оставалась с нами.

Ей едва удалось скрыть сарказм.

— Простите, я совершенно не хотела сказать, что заслуга принадлежит исключительно ей, — проговорила Лори, несколько погрешив против истины.

— Все хорошо. — Собеседница вернула ей подписанный документ. — И это все?

— А как вы считаете, что именно могло произойти с вашей сестрой? — прямо спросила продюсер.

Шарлотта посмотрела ей в глаза:

— Не имею представления. Моя мать уверена в том, что ее похитили и, наверное, убили. Отец, кажется, думает, что она убежала и начала новую жизнь. А мне снятся кошмары, развивающие оба сценария и их варианты.

Она произнесла эти слова едва ли не деловым тоном.

— Но зачем ей могло понадобиться начинать новую жизнь? Судя по всему тому, что я слышала, у нее было все: отличная работа, любящий жених, хорошая семья... — возразила продюсер.

Пирс судорожно глотнула, и по лицу ее на мгновение пробежала подлинная печаль.

— У Аманды было все, о чем мечтают и о чем молятся многие люди. Однако, как вам известно, бывает, что у человека есть все, но он еще хочет чего-то другого? Ну, как те люди, которым хочется переселиться в тело другого человека.

Лори прекрасно знала описываемый Шарлоттой сценарий, однако не могла понять его отношения к ее сестре.

— Чью же жизнь хотела бы примерить на себя Аманда вместо своей?

Пирс пожала плечами:

— Она болела раком — вы знали об этом?

Моран кивнула.

— Некоторые из тех, кому удалось выжить в подобной ситуации, испытывают благодарность. Но не Аманда. Мне кажется, что она начала сомневаться в каждом принятом ею решении, быть может, считая, что она во всем выбирала легкую дорогу. Должность в папиной компании. Милый и преданный жених. Ей было всего двадцать семь лет, и все ее будущее уже оказалось расписано наперед.

— А не говорила ли она вам о том, что передумала и хочет уклониться от брака?

— Нет, но у меня было ощущение, что она ищет причину для уклонения.

— Например? — спросила Лори.

— Ну, например, она говорила, что боится того, что Джефф сделал ей предложение только потому, что она заболела. Еще она говорила, что Джефф хочет немедленно обзаводиться детьми, а она подождала бы. Мне казалось, что она не то чтобы хочет расторгнуть помолвку, но надеется, что это сделает Джефф.

— А она действительно была способна мучить вас неизвестностью все эти пять лет? — Моран не могла представить себе более эгоистичного поступка.

— Не прежняя Аманда. Лечение от рака изменило ее. Она стала холоднее... нетерпеливее, более требовательной.

— Крепче? — спросила Лори, потому что так сказал Джефф.

— Именно. И все же, как бы мне ни хотелось представлять ее находящейся где-то там и занимающейся своими делами, я не могу представить себе, зачем ей могло бы потребоваться причинять родителям подобную боль. Наша мать до сих пор не снимает с себя эти значки с желтой ленточкой.

— Мы с вашей мамой долго проговорили. Она склонна считать, что Джефф убил вашу сестру, чтобы унаследовать ее деньги.

— Тогда почему он до сих пор не попытался получить их?

— Возможно, он ждет момента, когда будет обнаружено тело.

— Не знаю. Джефф — милый парень. И, по сути дела, я очень сочувствую ему.

— Но кто еще мог покуситься на жизнь вашей сестры?

Шарлотта ответила мгновенно:

— Меган Уайт.

— Потому что Джефф был нужен ей самой? — спросила Лори.

Ее собеседница покачала головой:

— Я думаю, что это произошло после того или стало, так сказать, добавочным плюсом. Если Меган могла пойти на убийство, то из-за «Ледиформ».

Моран смутилась:

— Мне казалось, что к тому времени Меган уже работала адвокатом. Она состояла в вашей семейной компании?

— Нет, но у них с Амандой произошла крупная стычка, когда мы все собирались лететь на свадьбу. Мы еще ожидали посадки, пытаясь убедить папу в том, что наша фирма может стать чем-то более солидным, чем испытанный и надежный поставщик бабушкиных панталон. Аманда затеяла прорывную перспективную линию под названием «X-Dream»: высокотехнологичную тренировочную одежду с карманами для сотовых телефонов, айподов и прочей ерунды, которую мы хотим иметь при себе во время физических упражнений, но не имеем возможности держать. До сих пор производители одежды предлагали только большой карман, в котором мобильник обречен болтаться во все стороны во время бега.

— Как же, помню! — воскликнула Лори. Незадолго до смерти Грег купил ей спортивную куртку, и она полюбила бегать в ней, так как айпод в закрывающемся на молнию кармашке куртки не мешал. — Но какое отношение это имеет к Меган?

— Увидев эти костюмы в магазине, она явилась сюда и стала орать, что, мол, Аманда украла ее идею. Она кричала так громко, что было слышно даже внизу.

— Странно как-то... — проговорила продюсер. — Меган занимается иммиграционным законодательством. Что ей делать с идеей из области спортивной одежды?

— Ничего, конечно, что, однако же, не помешало ей требовать свой кусок пирога. Линейка «X-Dream» принесла нам громадный успех. Я могла бы обратиться к архивам и показать график с пиком продаж. Чтобы вы меня правильно поняли: мы действительно сделали на ней миллионы. Аманда нервничала настолько, что даже попросила нашего юриста приготовиться к возможному судебному процессу.

— Так, значит, на деле идея принадлежала Меган?

— Ну, только если можно назвать *идеей* разговор двух студенток о том, что им хочется, чтобы мобильники не болтались в карманах на беговой дорожке. Одно дело сказать, а другое воплотить такую мысль в реальность. По правде говоря, мы даже наняли инженера с опытом работы в НАСА для того, чтобы выработать особый способ размещения предметов: так, чтобы ими было легко и удобно пользоваться и при этом они оставались в полной сохранности. Если Меган и сыграла здесь какую-то роль, то только лишь как человек, посчитавший такой продукт необходимым — что сделали до нее, наверное, тысячи человек.

— Так, значит, в то время, когда вы находились во Флориде, Меган была сердита на Аманду?

— Ну, конечно, она ничем не проявляла этого, однако любому человеку нетрудно взять себя в руки на несколько дней. Насколько я помню, Аманда усмирила Меган, сказав, что ей все равно никто не поверит. Она дошла даже до того, что предупредила ее: я, мол, могу разрушить твою карьеру адвоката, выдвинув обвинение в необоснованных претензиях.

— Ого! — заметила Лори. — Я не была знакома с вашей сестрой, однако подобная угроза звучит абсолютно безжалостно. Особенно в отношении лучшей подруги. Да еще перед свадьбой.

— Как я уже говорила, к моменту своего исчезновения Аманда сделалась трудной противницей. Удивляюсь порой, насколько хорошо я ее знаю.

26

Лори поняла, что шепчет, словно бы вдруг оказалась в библиотеке.

— В твоем кабинете никогда не бывает настолько тихо, — сказала она сидевшему рядом с ней Алексу.

Тот делил кабинетное пространство с пятью другими адвокатами, каждый из которых имел административного помощника, и все вместе они пользовались услугами коллектива из восьми юристов с незаконченным юридическим образованием и шести следователей.

— Кроме того, я никогда и никого не заставил бы ждать так долго, — ответил Бакли.

Моран перевела взгляд на жевавшую резинку секретаршу, чтобы убедиться в том, что та не расслышала эту реплику.

— Не забывай, что это мы с тобой с непокрытой головой кротко молим о помощи, которой он не обязан нам предоставлять. Не стоит обижать этого человека.

Персона, о которой шла речь, носила имя Митчелл Лэндс, эсквайр. Лори наслаждалась полной тишиной, царившей в конторе, у которой был только один владелец, пользуясь при этом возможностью почитать дрянной журналишко с жизнеописаниями знаменитостей, обнаруженный ею на кофейном столике.

А вот ее друг не был настолько терпелив.

— Если бы я был его платным клиентом, то ушел бы отсюда еще десять минут назад.

— Не позволяй себе волноваться, Алекс. Стресс плохо действует на организм. Надо сказать Рамону, что тебе следует увеличить количество йоги в своей жизни.

Рамоном звали дворецкого Бакли. Алекс неоднократно предпринимал попытки подыскать этому молодому человеку более подходящий титул: помощник, администратор, менеджер... Тем не менее баталию в конечном счете выиграл Рамон — в качестве дворецкого. Помимо обязанностей посыльного и повара, этот проживавший с Алексом помощник привык заботиться о своем нанимателе как о родном отце. Узнав недавно, что давление Бакли граничит с высоким, он немедленно сократил содержание натрия и количество красного мяса в его диете. Но когда Рамон попытался вовлечь Алекса в еженедельные занятия йогой с целью «снятия напряжения», тот решительно топнул ногой.

— Ну, наконец-то! — пробормотал Бакли, заметив, что дверь приоткрылась.

— Девица сказала, что вас интересует завещание Аманды Пирс, — проговорил Митчелл Лэндс, седой и лохматый коротышка в очках, слишком больших для его маленького лица. Лори удивленно моргнула, потрясенная тем, что кто-то еще называет ассистенток «девицами».

Алекс вступил в разговор, прежде чем продюсер сообразила, что сказать дальше. В конце концов, именно она предупредила его о том, что они будут просить об одолжении.

— Мы уже располагаем значительным количеством информации, предоставленной нам семейством Аманды, — пояснил комментатор, — однако ваша помощь все же нужна нам.

Они располагали копиями завещания и предбрачного контракта между Амандой и Джеффом. По мнению Алекса, этот контракт не слишком соответствовал практике заключения подобных документов. По словам Сандры, Уолтер Пирс настоял на том, чтобы Джефф не имел никакого права претендовать на имущество и доходы семейной компании.

Однако в отношении завещания все обстояло не так просто. Все свое скромное личное имущество, банковские счета и сбережения Аманда завещала своей единственной в то время племяннице — дочери Генри, Сандре, — однако весь свой трастовый фонд оставила Джеффу.

— Не показалось ли вам необычным, — спросила Лори, — что она оставила такие большие деньги своему жениху еще до фактического заключения брака?

Лэндс улыбнулся:

— Я хочу помочь вам. Аманда была очаровательной женщиной. Однако у меня есть полное право не разглашать касающуюся клиента информацию.

— Ну, конечно, — проговорила Моран, осознавая отчасти, что разговор с другим адвокатом следует поручить Алексу. — Я не имею в виду собственно Аманду... Просто как-то неожиданно, чтобы незамужняя девушка упоминала в завещании жениха.

— Хороший вопрос, — ответил Митчелл. — Во всяком случае, такое нередко случается там, где прочие члены семьи обладают существенными состояниями, и если пара собирается пожениться, еще не имея детей. Полагаю, что не ошибусь также, если скажу, что женихи и невесты имеют обыкновение вносить изменения в завещание, чтобы скомпенсировать своим будущим супругам те изменения в брачном контракте, на которых настаивают их родственники. Родители, как правило, соблюдают свои контракты, однако никогда не думают, что дети могут умереть раньше их. Так что, если вам известны все условия контракта и завещания Аманды, я немногим смогу помочь вам.

— На самом деле мы хотим узнать, — пояснила Лори, — знал ли Джефф о содержании завещания Аманды до ее исчезновения.

«Он, естественно, не мог не знать о содержании предбрачного контракта, — подумала Лори, — поскольку участвовал в его составлении и подписывал эту бумагу». Однако вполне возможно, что до возвращения из «Гранд Виктории» он и представления не имел о том, что Аманда написала завещание, назначив его главным наследником. Наследство не могло стать основанием для убийства, если Хантер не знал о нем.

Именно Алекс заметил, что завещание Аманды было подписано тем же числом, что и предбрачный контракт.

И теперь Алекс указал на это Лэндсу.

Готов предположить, что они вместе пришли, чтобы подписать документы, — проговорил Бакли. — Если вы зачитывали пункты завещания Аманды в присутствии мистера Хантера, то ваше право не разглашать касающуюся клиента информацию не работает. Клиентом была Аманда, а не Джефф.

— Тонкое замечание, — согласился Митчелл. — Но все произошло именно так. Аманда вполне открыто обсуждала эти вопросы в присутствии Джеффа. Я не являюсь специалистом в подобных вопросах, однако эта пара показалась мне очень дружной и взаимно влюбленной. И вы действительно считаете, что он мог убить ее?

— Мы не являемся сторонниками той или иной теории, — ответила Лори. — Однако, имея дело с юридическими взаимоотношениями внутри семей, вы должны понимать, что мы как минимум хотим иметь в лице Джеффа возможного подозреваемого, и по этой причине нас могут интересовать условия завещания Аманды.

Лэндс многозначительно улыбнулся.

— О да, я, безусловно, понимаю это, но тем не менее знаю своего клиента. Думаю, что вы упускаете из вида другую возможность.

Он внимательно посмотрел на обоих посетителей, ожидая, чтобы они настроились на направление его мысли. Написанное на их лицах недоумение едва ли не развлекало адвоката.

— Сразу после того, как Аманда исчезла, многие из новостных агентств окрестили ее Сбежавшей невестой... Взяла ноги в руки и так далее. Насколько я понимаю, готовя свое шоу, вы исходите из предположения о том, что добровольное исчезновение на пять лет существенно менее вероятно, чем убийство.

Лори кивнула.

— Вполне здравое предположение.

Знающая улыбка вернулась на лицо адвоката.

— Это не совсем так. — Он сделал еще один намек. — Что, если завещание сделано в том ключе, который вы не усмотрели?

Как часто случалось, когда речь заходила о юридических нюансах, Моран обнаружила, что взглядом обращается за помощью к Алексу. Однако в данном случае она больше знала об участниках дела. Речь шла не о юридических тонкостях, а о возможных мотивациях.

— Как Джефф, так и Сандра уверены в том, что Аманда никогда не позволила бы себе исчезнуть без следа по собственной воле, — заговорила продюсер. — Однако если она решила положить новое начало своей жизни и считала, что находится в определенном долгу перед Джеффом...

Алекс закончил ее мысль:

— Упомянув Джеффа в своем завещании, а потом исчезнув, она находила способ наделить его частью семейного состояния вопреки воле отца, настаивавшего на противоположном.

Лэндс кивал в знак согласия, довольный тем, что ему предоставили возможность поделиться своими мыслями:

— Я уже сказал вам, наверное, все, что могу, по поводу моего собственного общения с Амандой, однако замечу, что в целом в тех ситуациях, когда люди преодолевают тяжелую болезнь, когда находятся на грани смерти, они могут очень остро ощущать собственную недолговечность. Им хочется извлечь максимум из каждого дня. Как знать, может быть, для того, чтобы остаток своих дней провести по своему усмотрению на другом конце света, стоит разбить сердца собственной родни...

27

В половине восьмого вечера того же дня Алекс Бакли с волнением услышал звук ключа, поворачивавшегося в замке входной двери. Его брат Эндрю прилетел в Нью-Йорк и располагал свободным временем перед обедом.

Алекс уже собирался открыть дверь, когда почувствовал, что она сама пошла на него.

— Рад видеть на своем пороге более симпатичного Бакли, — усмехнулся хозяин дома.

— Более симпатичного и более молодого! — отозвался Эндрю, обнимая брата.

Рамон уже тащил в сторону его чемодан.

Как бы Алекс ни наслаждался своей наполненной работой жизнью, но по-настоящему дома он ощущал себя только тогда, когда к нему приезжал младший брат. Одной из причин приобретения этой просторной квартиры на Бикман-плейс — шесть комнат плюс отдельный блок для эконома или экономки — было как раз то, что в этом жилище у его Эндрю всегда была собственная комната и хватало места для семьи, когда он привозил жену и детей на уик-энд. Младший Бакли работал корпоративным юристом в округе Колумбия и часто приезжал в Нью-Йорк по делам.

Существовала причина и тому, что пребывание брата под его крышей являлось естественным для Алекса. Достаточно долгое время им пришлось жить вдвоем, не имея других родственников. Их родители умерли с двухлетним разрывом, и Алекс в возрасте всего двадцати одного года стал официальным опекуном Эндрю. Он продал родительский дом в Ойстер-бэй, и оба брата переселились в квартиру в Верхнем Ист-Сайде, где жили вместе до того, как Эндрю закончил Колумбийскую юридическую школу. Алекс считал, что при вручении дипломов радовался громче, чем родители остальных выпускников.

Он направился к бару, чтобы смешать коктейли, а Рамон продолжил возню с обедом на кухне. Отмеряя порции джина в шейкер для мартини, хозяин дома спросил брата о Марси и детях. В семье младшего Бакли было теперь трое детей — шестилетний сын и две трехлетние дочки-близняшки.

— Люблю возвращаться в этот город, — признался Эндрю, — но скажу тебе, брат, с каждым разом становится все труднее и труднее расставаться с ними даже на несколько дней. Марси утверждает, что мне везет и я могу отдохнуть, но, оказываясь здесь, я безумно скучаю по ней и детям.

Старший брат улыбнулся, стараясь представить себе, каким может быть это чувство. Он передал Эндрю мартини, и братья чокнулись бокалами.

— Итак, что скажешь, Алекс? — снова заговорил тот. — Я думал, что сегодня вечером наконец сумею познакомиться с твоей Лори. Она может составить нам компанию?

Алекс успел пожалеть о том, что вчера упомянул такую возможность в телефонном разговоре с Эндрю.

— Я пригласил ее, однако она сейчас затевает новое расследование, — ответил он. — А когда она начинает новую работу, то увязает в ней не то что двумя ногами, а по самые уши. Сказала, что испортит нам обед своим рассеянным видом.

Эндрю кивнул:

— Да-да, конечно, понимаю.

Бакли-старшему было ясно, что на самом деле брат не понимает. Когда Лори сказала, что не хочет встречаться с Эндрю до тех пор, пока не сможет отнестись к нему со всем вниманием, Алекс принял объяснение за чистую монету. Но сейчас он видел, что это одна из до сих пор разделяющих их стен.

— Будем надеяться, в следующий раз, — вздохнул он.

Явился Рамон с небольшим блюдом закусок, и Алекс почувствовал облегчение. Он даже не предполагал, насколько сильно желает, чтобы Эндрю познакомился с Лори. У него не было других родственников, кроме брата. Но настанет ли время, когда и Лори станет частью его семьи?

28

— Папа, ты уверен в том, что тебе не нужна моя помощь? — крикнула Лори в сторону кухни.

— Сегодня вечером я шеф-повар, — ответил Лео Фэрли, выглядывая из-за угла. Моран улыбнулась, заметив на голове отца поварской колпак, который Тимми в прошлом году подарил деду на День отца. На мгновение из кухни выглянула довольная, испачканная томатным соусом физиономия самого Тимми, которая тут же скрылась обратно.

Отец готовил на ужин свою фирменную лазанью.

Рецепт, по ее собственным впечатлениям, включал в себя итальянскую колбасу, моцареллу и свежую рикотту[1], что, правда, не объясняло, почему отцовская лазанья всегда оказывалась вкуснее, чем любая другая лазанья с колбасой, которую ей доводилось пробовать. Лео так бережно хранил свой рецепт, что в порядке шутки уверял, что откроет его только в завещании.

---

[1] Рикотта — продукт из молочной сыворотки, остающейся после изготовления сыров.

— Я узнаю твоей секрет от Тимми, — пригрозила Лори. — Какую там новую видеоигру ты просишь, сынок?

— Мам, и не пытайся! — откликнулся ребенок. — Дедушка, твой секрет в надежных руках.

— Лори, удивлен тому, что ты дома, — сменил тему дед. — Алекс сказал мне, что к нему приехал Эндрю. И я думал, что ты сегодня обедаешь с ними.

После того как Алекс принял ее предложение стать ведущим программы «Под подозрением», Лео завел с ним дружбу вне шоу. Приятельские отношения между ними еще больше окрепли после того, как Лори и Алекс начали встречаться. Моран радовалась, что отец одобряет ее выбор и что теперь у него есть с кем поговорить о спорте, однако иногда их независимое общение оказывалось неудобным для нее.

— Я слишком взведена, — проговорила она. — И мне еще нужно закончить кое-какую работу, прежде чем я смогу расслабиться.

— Тогда действуй и заканчивай свои дела, — проговорил Фэрли. — «Шардоне» или «Пино-нуар»?

И пока ее отец и сын усердно трудились над сооружением ужина, Лори с бокалом вина в руке получила превосходную возможность погрузиться в размышления над сегодняшними новостями в деле Аманды. Первым делом она вспомнила про слова Шарлотты, утверждавшей, что Меган обвиняла Аманду в краже идеи, принесшей многомиллионный доход. Каких-либо причин считать это обвинение выдумкой Шарлотты не находилось, однако мысль, что Меган могла убить свою лучшую подругу по такому поводу, была сомнительной. К тому же идея оставалась за «Ледиформ», вне зависимости от того, какое отношение имела к ней Аманда.

Однако разговор Моран с Шарлоттой принес и второй результат: описание личности ее сестры. Сандра буквально убедила Лори в том, что Аманда была просто невозможно счастлива во всех сторонах своей жизни. Она даже не упомянула о том, что ее дочь переболела раком. Шарлотта же вспоминала сестру в более мрачном ключе, как если бы обе дочери в чем-то обманули ожидания своих родителей. И общение с Митчеллом Лэндсом произвело на Лори такое же впечатление. Если адвокат не ошибся, Аманда действительно могла изменить свое завещание, чтобы после ее исчезновения Джеффу достались какие-то деньги.

Продюсер просмотрела всю свою электронную почту, в которой оказалось письмо от Джерри, содержавшее адреса и телефоны всех участников шоу.

Она набрала номер на мобильнике. Генри, брат Аманды, ответил после двух звонков.

И уже мгновение спустя Лори пришлось разбирать голос Генри на фоне детского рева.

– Стыдно сказать, однако, наверное, я знаю дела «Ледиформ» хуже, чем вы, – заявил брат Аманды. – Возможно, вам никто этого не говорил, но в своей семье я белая ворона. Я люблю своего отца, однако ни в коей мере не хочу всю свою жизнь заниматься выпуском нижнего белья, а тем более воевать с собственными сестрами за право это делать. Я уехал на запад в компании своего приятеля по колледжу и начал вместе с ним производство органического вина в штате Вашингтон. И если не считать того, что каждый из нас предпочитает самостоятельно вести собственное дело, я отличаюсь от Уолтера Пирса во всем, в чем сын может отличаться от отца. Если Меган и обвиняла Аманду в краже какой-то идеи, я ничего не знаю об этом. И я не могу ничего сказать о том, где находился в ту ночь Джефф, потому что рано выпал в осадок. Для всех остальных это был праздничный уик-энд, но у нас с Холли только что родилась наша старшая, Сэнди. И в ту неделю я хотел только одного — спать.

— Однако вы присутствовали в «Гранд Виктории» во время предсвадебных мероприятий. Вы должны были какое-то время разделять общество Меган и своей сестры, — возразила Моран.

— О да, конечно! Но я не слышал из их уст ни единого злого слова. И, кстати говоря, если бы они завели речь о компании, я не стал бы вслушиваться в эту скукотищу. Понятно, что, если речь заходит о «Ледиформ», Шарлотта способна раздуть до невероятных размеров любой пустяк, однако, подумав, скажу, что не заметил никаких признаков раздора между Меган и Амандой. И если Меган не проявляет никакого беспокойства, так это потому, что она адвокат или что-то вроде того.

— Что значит, не проявляет беспокойства? — спросила Лори. Они с Джерри и Грейс уже получили подписанный Меган Уайт договор на участие, а также обменивались письмами, однако непосредственно с Меган ей еще не пришлось переговорить.

— Знаете ли, такую холодную рыбину еще поискать. Никогда не волнуется. Я тоже могу быть таким. Как в то время, когда Джефф уже бегал по всему курорту, разыскивая Аманду, а я сидел и думал, что она пошла купаться или куда-то еще. Но когда стало известно, что она не ночевала в своем номере, запаниковал даже я. Но только не Меган. Она вела себя так, будто все в полном порядке.

— А вам не кажется, что она могла знать больше, чем можно было подумать?

— Ого, а вам не кажется, что вы и в самом деле очень подозрительный человек? Нет, как я уже сказал, такова она из себя. Каждому, как говорится, свое. Итак, все согласились участвовать в шоу?

— Да, все, кого мы просили об этом.

— И Кейт Фултон?

— И она тоже. А нет ли такого, о чем мне следовало бы спросить ее? Как вы только что сказали, я человек подозрительный.

— Верно. Нет, просто хотелось знать. Я больше не поддерживаю связи с друзьями Аманды. И вот что, я не имею ни малейшего представления о том, что могло произойти с моей сестрой, и я до сих пор ужасно тоскую по ней, однако позвольте мне быть откровенным: не думаю, чтобы это шоу позволило вам выяснить что-то новое.

— Почему же?

— Потому что, как ни больно мне это говорить, наиболее вероятно, что поздно ночью она вышла, чтобы искупаться или поплавать, но встретилась с плохим человеком — из тех, кого непросто поймать. И по этой причине перспектива вновь оказаться в этом месте не приводит меня в восторг.

29

Лори попыталась представить себе лучшую подругу Аманды, сохраняющую спокойствие посреди общей паники. Возможно, Генри действительно прав. Люди по-разному реагируют на одни и те же события. А может быть, как лучшая подруга Аманды Меган просто пребывала в шоке, отказываясь верить в то, что могло случиться что-то плохое.

Моран посмотрела на часы. На них было чуть больше половины восьмого — еще не поздно для того, чтобы звонить в Атланту. Она снова взяла телефон и позвонила Кейт Фултон. Представившись, Лори спросила, найдется ли у Кейт время обсудить с ней кое-какую информацию. Та подтвердила, что является домохозяйкой, что у нее четверо детей и что она замужем за любимым со студенческих лет Биллом. Было утешительно, что факты биографии Кейт не отличаются от уже полученной Лори и ее помощниками информации. Подготовка продвигалась настолько быстро, что продюсер уже начала опасаться пропустить нечто важное. Не говоря уже о том, что многих участников будущего шоу разбросало по всей стране, и ей приходилось опрашивать их по телефону.

— Что вы ощутили, когда поняли, что Аманда исчезла? — спросила Лори.

— Я была в ужасе. Не знаю даже, как описать свои чувства, — стала рассказывать Фултон. — Казалось, что время остановилось, а вокруг пустота. Нутром я уже понимала, что произошло нечто ужасное. Я не могла унять слезы. Теперь, задним умом я понимаю, что только ухудшила ситуацию для несчастных родственников Аманды.

— А как вела себя Меган? Таким же образом?

— Господи, нет, конечно! Это Меган-то? Она моя полная противоположность. Она воспринимает любые тяжелые ситуации исключительно в практическом плане. В колледже мы называли ее «наша деловая». Она думает и планирует, однако исчезновение Аманды было тем самым случаем, с которым даже деловой подход Меган не мог ничего поделать. Она не знала, что делать, но нет, Меган — не плакса.

— А вам не показалось странным то, что она начала встречаться с Джеффом?

Кейт задумалась на мгновение:

— Конечно, все мы были удивлены. Я даже не знала о том, что они встречаются. Меган позвонила мне после их свадьбы — то есть после того, что она называла *несвадьбой*. Они просто расписались в суде.

— А возможно ли, чтобы они встречались друг с другом еще до исчезновения Аманды?

На сей раз Фултон не потребовалось времени на обдумывание ответа:

— Это совершенно невозможно. Джефф был без ума от Аманды. Меган уже пыталась привлечь к себе его внимание, однако что-то там не срослось. Мне кажется, что их впоследствии соединила общая любовь к Аманде.

Лори услышала, что отец напоминает Тимми о том, что духовка горячая и можно обжечься, и подавила желание отправиться на кухню и лично проконтролировать ситуацию.

— Как это понимать, что она пыталась привлечь к себе его внимание? — уточнила продюсер.

— Они несколько раз встречались. Меган интересовалась Джеффом еще в колледже. Если вы уже видели его, то знаете, что он очень привлекательный мужчина, а кроме того, обоих интересовала работа на благо общества. Они стали хорошей парой, но по какой-то причине не сошлись с первого раза. На мой взгляд, Меган была несколько разочарована.

— Так, значит, это Меган устроила жениха Аманде? Предусмотрительный поступок.

— Не совсем. Джефф случайно наткнулся на Меган, и Аманда оказалась рядом.

Это было интересно. У Лори успело создаться впечатление, что Меган преднамеренно познакомила Аманду с Джеффом. Она собралась было поинтересоваться подробностями этого, однако Кейт уже перевела разговор на исчезновение Аманды.

— Меган в большей степени, чем все остальные, кроме разве что мистера Пирса, действительно хотела верить в то, что Аманда сбежала из-под венца. Я всегда считала, что подобная мысль помогает ей примириться с ситуацией.

Моран с разочарованием качнула головой. Она до сих пор не была в состоянии воспринять Меган Уайт как личность. После того как они с Алексом встретились с Джеффом, она дважды звонила Меган, чтобы назначить встречу, однако оба раза имела дело с автоответчиком. Уайт ответила ей по электронной почте, написав, что занята работой, но «ждет скорой встречи».

— Именно с этим мы и боремся со своей стороны, — проговорила Лори. — С нашей точки зрения, похоже на то, что с Амандой действительно случилось что-то плохое. Зачем ей могло понадобиться исчезать на такой долгий срок?

— Собственно, незачем, и в любом случае Аманда не стала бы так поступать. Но тогда этих пяти прошедших лет еще не было. И все мы старались убедить себя в том, что существует некое объяснение.

До свадьбы оставался всего один день, и Аманда испытывала колебания.

— В самом деле? — Шарлотта говорила Лори о том, что ей казалось, будто бы сестра испытывает какие-то сомнения, но Кейт явным образом утверждала, что слышала нечто подобное от Аманды.

— Ну, колебания — это, наверное, слишком сильное слово. Но когда мы оказались вдвоем, она спросила, счастлива ли я. И не хотела ли я, чтобы Билл появился в моей жизни попозже. Успела ли я в достаточной мере развлечься, прежде чем остепенилась. Однако если бы я действительно могла подумать, что она намеревается уклониться от брака, то не испытала бы этого ужаса, когда она пропала. Я не могу заставить себя сказать эти слова Сандре, но вам скажу: я уверена в том, что моя подруга мертва. Я твердо убеждена в том, что Аманда не могла заставить своих родных пережить весь этот ужас.

— Откуда у вас такая уверенность?

— Когда мы учились в Колби, в нашем общежитии пропала девушка по имени Карли Романо. Ее тело через две недели обнаружили в озере Мессалонски. Сейчас вы поймете всю разницу между Меган и Амандой. Мы не были знакомы с Карли, однако весь колледж пришел в волнение. Аманда устраивала коллективные моления и бдения при свечах, Меган же организовывала в кампусе поисковые отряды, раздавала фонарики и свистки. Аманда только переживала, а Меган действовала. Но вечером, когда поиски еще продолжались, Аманда буквально впала в истерику после того, как встретилась с родителями Карли. Она сказала, что уже мечтает, чтобы нашли хотя бы тело, потому что не может представить себе ничего хуже подобной неизвестности для родителей.

Лори подумала, что она и сама провела целых пять лет словно в аду, пока не был найден убийца Грега. Она и представить себе не могла, каково было бы ей, если бы однажды вечером муж просто не пришел с работы домой. Как вообще могут жить люди, оказавшиеся в подобных ситуациях?

30

Лео не позволил Лори объявиться на кухне, пока он был занят готовкой, однако проявил более чем полную готовность позволить ей убрать со стола.

Тимми улизнул от повинности, потому как исполнял обязанности помощника шеф-повара и вообще успел углубиться в своей комнате в изучение игры на трубе, которую дедушка купил ему в прошлом месяце.

Пока еще он проявлял некоторое усердие, однако, по мнению Лори, еженедельные занятия сына скоро должны были сами по себе сойти на нет. Положив остатки лазаньи в пластмассовый контейнер, она обратила внимание на одну из прослоек.

— Какой сорт сыра? Проволоне? — спросила Моран.

— Нет, — отозвался Фэрли.

— Гауда?

Отец Лори покачал головой:

— Не спрашивай, все равно не скажу.

— Но ты можешь хотя бы сказать, молочный это продукт или нет?

— Не молочный. — Ей еще не приводилось слышать от отца более подробного намека.

— Это шпинат?

— Лори, я знаю, что ты далеко не самая опытная повариха на этом свете, но, прошу тебя, признай, что даже ты способна заметить листья шпината в собственной тарелке! А кроме того, тебе прекрасно известно, что я никак не сумел бы подложить его внуку.

В общем и целом Тимми нельзя было назвать разборчивым едоком, однако еще в детском саду он решил, что любимая еда пучеглазого мультяшного морячка Попая ему не годится. Он уверял, что от шпината у него во рту становится противно.

— Папа, я настолько увлеклась работой, что у нас с тобой не было никакой возможности поговорить о деле Аманды Пирс, — сменила тему Моран. — Никак не могу выбросить его из головы.

— Когда ты в первый раз упомянула о нем, дело показалось мне идеальным для твоего шоу, — ответил Лео, запуская посудомоечную машину.

— Сначала меня привлекло то, что оно, безусловно, заинтересует зрителей. Но чем больше я узнаю об Аманде, тем интереснее она становится для меня. Эта женщина не была просто очередной смазливой мордашкой из известной семьи, ожидавшей сказочную свадьбу. Она была сложной натурой — и все еще пыталась понять себя. Такая молодая, она уже перенесла серьезную болезнь. Кое-что из того, что я слышала о ней, напоминает мне обо мне самой и о том, как поступила бы я — например, я тоже организовала бы молитвенное бдение по пропавшей однокашнице. И она тоже была во всем далека от совершенства.

Вытирая стол, Лори продолжала рассказывать о состоянии дела. Затем, доведя стол до ума, она окинула взглядом кухню.

— Кажется, мы закончили с уборкой.

После этого женщина повернулась лицом к отцу:

— Заставлять Меган отрицать ссору с Амандой по поводу идеи кажется мне совершенно неудачным ходом, однако как, по-твоему: могла ли эта ссора иметь какое-то отношение к ее исчезновению?

Прежде чем Лео успел ответить, на столе задребезжал мобильник Лори.

— Покой нам только снится, — прокомментировал ее отец.

Номер на экране мобильника показался Моран незнакомым, однако она отметила цифры 561 — код Палм-Бич и окрестностей. Женщина ответила, и мужской голос спросил, не слишком ли поздно он звонит.

— Сегодня днем я разговаривал с вашим помощником Джерри. Он порекомендовал мне позвонить вам, если я вспомню еще что-нибудь об Аманде, — добавил незнакомец.

— Простите, а вы... — начала было Лори.

— Ах да, извините. Это Рэй Уокер. Я должен был в свое время снимать бракосочетание Аманды Пирс и Джеффа Хантера.

— А, мистер Уокер! Джерри уже посвятил меня в содержание вашей с ним беседы.

Фотограф подтвердил, что камера внешнего наблюдения не могла заметить его с фотоаппаратом на боку, поворачивающим следом за Амандой. По словам Уокера, в это время он уже покинул территорию отеля, чтобы выполнить заказ другого клиента. Но что более важно, Джерри выяснил, что рост Рэя составлял шесть футов четыре дюйма и что он был в те времена тощим, каковым и остается по прошествии пяти лет. А человек из видеозаписи был несколько полноват при среднем росте.

— Повесив трубку, я попробовал припомнить этот уик-энд, — рассказывал тем временем фотограф. — Трудно восстановить собственные действия, совершенные пять лет назад, однако в данном случае помогает сам факт такого ужасного события. Мне уже случалось сталкиваться с такими ситуациями, когда свадьбы отменялись буквально в самую последнюю минуту, но чтобы невеста бесследно исчезла... Это было очень неприятно.

— Мы высоко оценим любую помощь, которую вы можете оказать нам, мистер Уокер. Должно быть, Джерри уже объяснил вам, что мы пытаемся идентифицировать человека, замеченного нами на видеозаписи.

— Да, объяснил, и именно это навело меня на размышления. В тот вечер, когда исчезла Аманда, я находился на другой свадьбе и поэтому решил, что ничем не могу помочь полиции. Однако во время нашего разговора Джерри сказал мне, что интересующая вас запись была сделана несколько раньше, в половине шестого.

— Именно так.

— Ну и тогда меня осенило, что в то время у меня работал практикант по имени Джереми Кэрролл. Самоучка, но толковый. Он обладал несомненным талантом в области съемки скрытой камерой, почему, собственно, я его и взял. В фотоделе от помощника зачастую больше вреда, чем пользы. В общем, неважно — в тот день мы оба вместе были в «Гранд Виктории» и потратили около двух часов на съемки свадебных гостей в непринужденной обстановке. Джереми носил при себе фотоаппарат, а ростом и весом примерно соответствовал описанию, которое сделал Джерри по видео.

Имя практиканта в прочитанных Лори отчетах не попадалось. Она принялась вытирать салатницу, которую только что сполоснул ее отец, и спросила:

— А вам известно, допрашивала ли полиция Джереми о происшедшем в ту ночь?

— Сомневаюсь. Я уже говорил о том, что мы вроде бы ушли вместе, в пять часов вечера. Но теперь я понял, что не могу испытывать уверенности в этом отношении. Дело вот в чем: через пару месяцев после этого мы с Джереми расстались. Он производил плохое впечатление на клиентов.

Моран насторожилась:

— Каким образом?

— Не умел себя вести. Мнс говорили, что он не соблюдал правил приличия. То есть, если ты фотографируешь такие глубоко интимные события, как свадьба, тебе может показаться, что и ты стал частью внутреннего круга семьи. А этого себе позволять нельзя. В любом случае я не слишком часто вспоминал о нем до сегодняшнего звонка из вашего шоу. И теперь мне кажется, что он мог по собственному желанию остаться там подольше. Конечно, это, так сказать, общий план, но мне показалось, что стоит сказать вам об этом.

Лори нашла блокнот и записала в него имя: Джереми Кэрролл.

Уокер не знал, как и где можно найти этого человека, однако сказал, что Кэрроллу было примерно двадцать пять лет, когда он работал у него.

Прежде чем проститься с Рэем, продюсер рассыпалась в благодарностях.

— Насколько я понимаю, твой абонент только что сообщил тебе нечто интересное, — предположил Лео.

Дочь обобщила итог разговора с Уокером:

— Если на видео мы и в самом деле видели Джереми, мне нужно поговорить с ним. Похоже, что он действительно повернулся и последовал за Амандой. Однако все, что у меня есть, — это достаточно распространенное имя и примерный возраст.

— Положим, у тебя есть не только это. К примеру, есть еще папа, который пока не забыл кое-какие методы работы полиции. — Лео взял со стола листок бумаги, и Лори поняла, что первый заместитель комиссара полиции Фэрли взялся за дело.

31

На следующее утро Моран еще не успела дойти до своего стола, когда зазвонил телефон. Она сразу же поняла, что это Бретт. Ей-богу, когда босс звонит, даже звонок звучит особенно сердито!

Скрестив пальцы, женщина подняла трубку. Это был Бретт. В обыкновенной для себя манере он не стал здороваться.

— Лори, я очень расстроен, — объявил он, давая тем самым превосходное начало дню. — Не угодно ли тебе объяснить, почему какой-то тупой репортеришка из засиженного мухами городишки Палм-Бич, штат Флорида, звонит мне и просит поделиться нашими планами на выпуск «Сбежавшая невеста» в «Гранд Виктории»? Подразумевалось, что мы не распространяемся на эту тему.

— Бретт, мы старались не поднимать шума. Но нам пришлось общаться с управляющим отеля, руководителем службы охраны, с другими сотрудниками... Очевидно, кто-то из них и разболтал репортеру, — принялась оправдываться Моран.

— Какая разница в том, кто разболтал? Суть в том, что висячее дело прекращает быть таковым. Лори, не считайся с расходами.

Первый знак внимания с его стороны, решила женщина.

— Твоя команда должна была оказаться там еще вчера. Я не хочу, чтобы «60 минут» отсняли тот же сюжет и обставили нас.

Звук, с которым трубка легла в гнездо, стал знаком окончания разговора.

32

Вчера настало только через шесть дней. Шесть дней! В прошлом у Лори целые недели уходили на то, чтобы расследовать все дело от начала и до конца, прежде чем приступать к съемкам. Однако теперь они находились в «Гранд Виктории», и камеры предстояло включить всего через несколько часов. Ситуацию еще больше ухудшало то, что все эти шесть дней ушли исключительно на координацию логистики. Моран не сомневалась в том, что ей нужен еще месяц на расследование фактов, однако ускоренный план не оставлял ей другого выхода, кроме как продвигаться вперед.

И все же, входя под приятным ветерком в вестибюль гостиницы, она ощутила, как оставляет ее напряжение. На короткий момент женщине показалось, что она вернулась назад во времени. Она вспомнила, как в этом месте Грег взял ее за руку. «*С годовщиной, Лори*». В тот день она не сомневалась, что их ждут еще по меньшей мере пять десятков подобных годовщин.

— Мам! — Тимми уже тянул ее за руку к бассейну. — Вот это да!

Положительной стороной донельзя ускоренного плана было то, что у Тимми еще не окончились летние каникулы, и они с Лео предвкушали отдых у моря. Было жарко, 90 градусов[1], и Тимми, располагая бассейном и компанией мальчишек, готов был плескаться под здешними пальмами круглый год.

Курорт показался Моран еще более великолепным, чем она помнила, — современный, однако вдохновленный классическими виллами итальянского Возрождения.

К ней направлялся пятидесятилетний мужчина в светло-коричневом поплиновом костюме.

— Вы случайно не миссис Лори Моран? Ирвин Роббинс, генеральный менеджер.

Продюсер обменялась с ним дружеским рукопожатием и поблагодарила за уже предоставленную помощь. Роббинс не думал шутить, когда сказал, что курорт поможет ее группе всем, чем возможно. Администрация предоставила бесплатные номера родителям Аманды и гостям несостоявшейся свадьбы, а также хорошую скидку всей съемочной группе.

---

[1] По Фаренгейту. 32 градуса по Цельсию.

— А это что за молодой человек? — спросил Ирвин, указывая на Тимми. — Ваш главный следователь?

— Только никому не рассказывайте, — подал голос мальчик. — Я под прикрытием. И для работы мне потребуется бассейн.

По прошествии двух часов Грейс присоединилась к кружку коллег, глазевшему на колоссальный номер Алекса.

— Да эта комната больше всех наших номеров будет! — изумилась она.

В данном случае Гарсия не преувеличивала. Номер Бакли скорее напоминал большую квартиру с огромной гостиной, и он благородно предложил использовать эту комнату в качестве конференц-зала.

Было четыре часа дня, и они собрались в полном составе для того, чтобы обсудить первый намеченный на сегодняшний вечер эпизод — общую встречу за коктейлем свадебных гостей и родителей Аманды в бальном зале, где Аманда и Джефф должны были устроить свой свадебный прием.

— Алекс, увидев ваши чудесные глаза, девица за конторкой просто не смогла дать вам номер поменьше, — проговорила Грейс.

Ведущий рассмеялся. Он уже успел привыкнуть к заигрываниям Гарсии, и Моран видела, что они ему даже нравятся.

— Лори, тебе уже доводилось беседовать с приятелями Джеффа? — спросил он.

— Не лично, только по телефону, — сказала продюсер. — По словам Сандры, оба они — богатые холостяки.

— Высокий, то есть Ник — просто красавчик, — вмешалась Грейс. — А вот второй? Остин? Богатый везунчик. А что касается самого Джеффа, с другой стороны... — Она взмахнула рукой. — Он такой милый, такой невинный и не имеет представления о том, насколько великолепно выглядит. Самая лучшая добыча среди всех троих.

— Нужно ли мне напоминать тебе, что, возможно, именно он-то и является убийцей? — спросил Джерри.

В комнату с террасы влетел Тимми, наблюдавший сверху за океаном.

— Алекс, а ты взял с собой купальные принадлежности? Здесь есть аквапарк и горка в четыре этажа высотой!

Лори обняла сына за плечи.

— Мы с Алексом приехали сюда работать. Я же говорила: заниматься тобой будет один только дедушка. Хочешь верь, хочешь нет, но Джерри очень хотел бы присоединиться к вам. Если я сумею несколько часов обойтись без него, возможно, он сумеет скатиться с тобой с горки.

— Мама, с горки не скатываются, с нее съезжают, — поправил ее Тимми таким тоном, как будто она назвала бейсболистов клуба «Нью-Йорк Янкиз» футболистами. — И потом желоб такой узкий, что с него вдвоем не съедешь. И ты не дала Алексу ответить. Но вот что, если Джерри может освободиться на часть дня, почему не может освободиться и Алекс?

— Потому что он занят, — перешел к делу Лео. — Пошли, парень. Нас ждет бассейн. Можем немного поплавать перед обедом.

Как только ее родные ушли, Лори немедленно переключилась на рабочий режим. С учетом того, в какой спешке начались съемки, она ждала, что вот-вот приключится какое-то ужасное несчастье.

— Джерри, ты уверен в том, что присутствуют все приглашенные? — уточнила продюсер.

— Все до единого, — бодрым тоном доложил ее помощник. — Кроме того, мы с операторами обошли бальный зал. Здешняя администрация обставила его, как маленькую копию приема, запланированного Амандой и Джеффом. Комната выглядит великолепно. Повсюду свечи и белые цветы. Я полагаю, что, когда они увидят ее — причем увидят все вместе, — обстановка произведет на них глубокое впечатление.

После этого они на скорую руку перебрали всех участников и вопросы, которых следовало коснуться в отдельных интервью, а затем Лори встала и уложила свой блокнот в портфель, давая тем самым знак, что совещание закончено.

— Какую роль ты отводишь сегодня мне? — с улыбкой промолвил Алекс. Вечерняя съемка не предусматривала откровенных собеседований или даже допросов, в которых он был так силен.

— Тебе придется всего лишь очаровывать окружающих всеми доступными тебе методами, — ответила Моран. Высший драматический эффект всегда достигался в тех случаях, когда участники покорялись обаянию Бакли и становились более естественными перед камерой. Если не было предварительных интервью, ему приходилось искать другие способы добиться контакта с собеседником.

— Только не забудьте надеть смокинг, — подмигнула ему Грейс, следом за Джерри выходившая из комнаты.

— Прошу прощения за мою озабоченную помощницу, — проговорила Лори, как только они остались вдвоем. — Возможно, мне придется обратиться в отдел кадров, чтобы ей преподали урок насчет домогательств на рабочем месте.

Шагнув к подруге, Алекс обнял ее:

— Нам ли с тобой жаловаться на романтические переживания, одолевшие съемочную группу?

Он склонился к Лори, чтобы поцеловать ее, и она посмотрела ему в лицо:

— Да, советник, вы правы.

Отца и сына продюсер обнаружила в «активном» бассейне, наиболее семейном из четырех мест для плавания, обращенных к океану. Тимми свисал с одной стороны надувного плота, на котором расположился ребенок поменьше. Как это было похоже на ее сына, умевшего обзавестись приятелем через считаные минуты после знакомства! Его отец тоже всегда был обращен вовне. Тимми очень напоминал своей матери Грега.

Отец Лори, расположившийся неподалеку в шезлонге, одним глазом присматривал за внуком, а другим читал последний триллер Харлана Кобена[1]. Когда-то, подписывая у автора книгу, он дал ему свою визитку вместе с обещанием давать консультации по всем связанным с полицией вопросам. И Моран

---

[1] Харлан Кобен — американский автор детективов и триллеров, имеет постоянного героя, бывшего спортсмена, который распутывает криминальные дела в мире спорта.

никогда не видела такого довольного выражения на лице отца, какое появилось, когда тот прочитал свою фамилию в списке авторских благодарностей в следующей книге любимого писателя.

Лори уютно уселась в соседний шезлонг.

— Могу на какое-то время подменить тебя, чтобы ты мог смотреть в книгу обоими глазами.

— Ну, теперь за Тимми в бассейне можно не опасаться. Скорее он спасет меня, если я начну тонуть, чем наоборот. Да, кстати, я сделал новый запрос в местную полицию насчет этого фотографа-практиканта, Джереми Кэрролла.

— И удачно? — спросила продюсер.

— Вполне возможно. Есть такой Джереми Кэрролл, тридцати одного года, давний местный житель, чьи рост и вес, значащиеся во флоридских водительских правах, как будто совпадают с твоим описанием. Анкета чистая, если не считать проявленного неуважения к суду, выразившемуся в нарушении каких-то правил. Я позвонил судебному клерку и запросил копию матсриалов. Дам тебе знать, если выяснится что-то интересное.

— Спасибо тебе, папа. Я переговорю с Бреттом, чтобы он внес тебя в зарплатную ведомость.

— Никакие деньги не стоят одобрения из уст Бретта Янга. Кстати, не надо ли тебе прихорошиться для торжественного воссоединения?

— Ты же меня знаешь. Причешусь, накрашу губы, и ладно. — Лори знала, что обладает привлекательной внешностью, однако никогда не чувствовала себя уютно под слоями макияжа и лака для волос.

Собственные медового цвета волосы она оставляла стриженными до плеч и только изредка пользовалась небольшим количеством туши, чтобы оттенить свои газельи глаза.

— И потом у меня есть новое платье для коктейлей, которое обошлось мне слишком дорого, но в котором я хорошо выгляжу, — добавила женщина.

— Ты хороша такой, какая есть, — сказал Лео. — Я знаю, что ты волнуешься из-за той нелепой скорости, которую требует от тебя Бретт, но все же надо и потешить себя. Сегодня вы с Алексом будете оба разодеты в пух и прах. И я охотно останусь с Тимми, если после окончания приема вы оба захотите устроить себе ночь. Как знать — возможно, все эти разговоры о несостоявшейся свадьбе послужат для вас мотивацией.

Предложение отца ошеломило Лори:

— Папа, но мы настолько далеки от чего-то подобного! И пожалуйста, не вселяй подобных мыслей в голову Тимми. И Алекса, кстати.

— Ну ладно, ладно, шучу. Улыбнись.

— Хорошо. Ты просто испугал меня.

Фэрли внимательно смотрел на дочь. Закрытая книга лежала на столике возле его руки.

— Лори, мне просто показалось, что до предложения уже недалеко, но я хочу сказать тебе одну вещь, — снова заговорил он. — Я видел, как ты держишь Алекса на расстоянии. Ты всегда очень официальна с ним и стремишься вернуть разговор обратно к работе. И когда Тимми попросил Алекса сходить с ним в аквапарк, ты сказала ему «нет» еще до того, как сам Алекс успел ответить.

— Папа, что ты хочешь мне этим сказать?

— Буду откровенным. Ты как будто боишься позволить ему увидеть настоящую Лори.

— Алекс часто видит меня настоящей, папа, но мы уже не желторотики, готовые бросить всю прежнюю жизнь ради того, чтобы невесть куда бежать вместе. Все у нас идет своим чередом.

— Отлично, и я знаю, что ты — взрослая женщина и не нуждаешься в рекомендациях отца насчет того, как тебе жить. Но позволь мне сказать тебе кое-что всего лишь раз, просто потому, что это нужно сказать. Я знаю, как ты любила Грега. Все мы любили его. — Его голос надломился от горечи. — Вы прожили вдвоем пять великолепных лет, но это абсолютно не означает, что всю оставшуюся жизнь ты должна провести в одиночестве. Сам Грег в первую очередь не одобрил бы этого.

— Я не одинока, папа. У меня есть вы с Тимми, и Грейс, и Джерри, и да, есть еще Алекс. Ты, должно быть, хотел бы, чтобы я выскочила за него побыстрее, однако у нас и так все хорошо, поверь мне.

Лео открыл было рот, чтобы заговорить, но Лори перебила его:

— Папа, но я же не спрашиваю тебя, почему не видела тебя в женском обществе после смерти мамы? Могу познакомить тебя с несколькими очаровательными вдовушками из нашей церкви. Они никогда не забывают спросить о том, как ты поживаешь.

Мужчина печально улыбнулся:

— Ну ладно, в самую точку.

— Не беспокойся обо мне, папа. Я понимаю, что не безразлична Алексу. Но если это должно случиться, пусть произойдет естественным образом. Не надо забегать вперед.

Под отголоски этих слов в собственной памяти Моран вернулась в собственную комнату.

С Грегом у нее не было времени на обдумывание. Она познакомилась с ним, попав под такси на Парк-авеню. Оба они потом шутили, называя себя единственной на свете парой, официально имеющей различные версии собственного знакомства. Грег впервые увидел свою будущую жену, когда она лежала без сознания на каталке. Лори же познакомилась с ним в тот момент, когда он светил ей в глаза медицинским фонариком, дожидаясь, когда она моргнет. Через три месяца они были уже помолвлены.

Если это должно случиться, пусть произойдет естественным образом. Когда Моран говорила эти слова своему отцу, думала она о Греге, а не об Алексе.

33

Джерри говорил Лори о том, что бальный зал украсили превосходно, но одно дело услышать, а другое увидеть. Зал показался ей вышедшим из какой-то сказки. Повсюду белые розы и лилии, на потолке, напоминавшем деревенскую звездную ночь, мерцали крошечные белые лампочки.

Ассистенты Моран прифрантились к событию. На Грейс было темно-синее, на удивление ничего не открывающее платье, а Джерри показался начальнице очень элегантным в облегающем фигуру смокинге.

— Оба смотритесь превосходно, — объявила Лори. — Молодцы. Сегодня нам придется потрудиться, чтобы задать шоу правильный тон.

Затем она посмотрела на операторов. Главный из них показал ей большой палец, давая тем самым понять, что он готов начинать. Запись голосов не предусматривалась: они намеревались заснять те моменты, когда участники шоу впервые увидят друг друга в зале. После этого голос Алекса за кадром объяснит ситуацию и назовет персонажей.

Первыми на прием должны были явиться Сандра и ее дети, Генри и Шарлотта. Миссис Пирс нашла место для значка с подчеркнутой желтой лентой фотографией Аманды на отвороте своего элегантного брючного костюма. Лори встретила Сандру и Шарлотту объятиями, после чего представилась Генри.

— О, Аманде понравилось бы здесь! — Сандра утерла слезу. — Зал украшен именно так, как она этого хотела.

Положив руку на плечо матери, Шарлотта заметила:

— Насколько я помню, именно так, как хотела бы *ты*, мама.

— Я знаю. Действительно, я люблю устраивать приемы. И было так радостно планировать именно этот... мне так хотелось, чтобы все выглядело идеально...

— Конечно, конечно, мама, — попытался приободрить ее Генри, принявшийся после этого поправлять галстук. Симпатичный, лохматый и темноволосый, а кроме того, несколько дней не бритый, он явно чувствовал себя неуютно в официальном наряде.

Шарлотта чуть подтолкнула мать:

— Смотри-ка, а вот и Джефф!

Сандра посмотрела в сторону несостоявшегося зятя и немедленно отвернулась.

— Конечно, с Меган. — Голос ее был полон укоризны. — Лори, я понимаю, что сама затеяла все это, но теперь, когда все мы здесь, я не знаю, как надо вести себя. Я и правда считаю, что кто-то из них обоих или же они оба виноваты в исчезновении Аманды. Я хотела, чтобы они оказались здесь, однако даже не представляла, насколько тяжело мне будет находиться с ними в одной комнате.

Моран прикоснулась к руке миссис Пирс.

— Просто ведите себя естественным образом. Вы можете даже не разговаривать с ними, если не хотите этого.

Прелесть реальных телешоу в том и заключается, что они показывают не срежиссированное сценарием или текстом поведение человека.

— Ого! — воскликнула Шарлотта. — Кейт выглядит потрясающе. Не постарела ни на один день.

Лори повернулась, чтобы увидеть третью персону, явившуюся вместе с Джеффом и Меган, обнявши обоих. Кейт Фултон, броская синеглазая и розовощекая блондинка с волосами по подбородок, около пяти футов и четырех дюймов ростом[1], ниже Моран. На старых фотографиях студенческих времен, которые видела Лори, Кейт казалась простушкой по сравнению со своими двумя подругами. Однако к событию она приготовилась наилучшим образом.

— Она привезла с собой детей? — спросил Генри.

— Оставила на попечение матери, — ответила Сандра. — Насколько я понимаю, криминальное телешоу не является лучшим местом для семейного отдыха.

«В моей семье считают иначе», — внутренне усмехнулась Лори. Извинившись, она направилась к группе бывших студентов Колби и остановилась

[1] Под 163 см.

неподалеку от них, чтобы послушать, о чем они разговаривают. До ее слуха донеслись слова Джеффа, который говорил Кейт и Меган о том нереальном чувстве, которое вызвала у него воспроизведенная обстановка их с Амандой свадебного приема.

— Ну, у нас с тобой все было куда проще, — проговорила Меган. — Если помнишь, мы обошлись «Маргаритами»[1] и барбекю на вынос в собственной квартире.

Лори не могла понять, услышала она зависть в голосе Меган или же нет. С Кейт тоже не все было ясно: если она и подозревала Джеффа и его жену или не одобряла их брак, то не показывала этого. Казалось, встретились трое старых друзей.

— Простите за вмешательство, — проговорила продюсер, — но я хотела бы представиться.

Меган Уайт так и не нашла времени для личной встречи с Лори, да и с Кейт говорила только по телефону. Теперь же она как будто бы несколько отстранилась, услышав, что Кейт и Джеффа радует возможность обнаружить какие-то новые ключи к исчезновению Аманды после того, как программа выйдет в эфир.

Фултон внезапно повернулась ко входу:

— Посмотрите-ка, а вот и наши мальчики! Ник нисколько не изменился, а за ним наш маленький Остин, но теперь он совсем большой!

Кейт склонилась к Лори, чтобы просветить ее в отношении былых времен:

---

[1] «Маргарита» — популярный в США коктейль из текилы, апельсинового ликера и сока лайма.

— Ник даже в колледже считался дамским угодником. А Остин — его закадычный друг, держался в тени. С девушками у него была полная катастрофа, он слишком усердно брался за дело.

— Ну, каких бы успехов ни добивался он среди девиц в студенческие годы, — проговорила Моран, — трудно поверить в то, что он и теперь остается в тени Ника. Хотя бы потому, что оба они прилетели сюда на личном самолете Остина.

Оба джентльмена направлялись прямо к старым знакомым.

— Ла-ди-да! — пропела Фултон, когда к ним подошел Остин Пратт. — Слышу, ты прилетел на личном самолете. Кто бы мог подумать, что такого добьется тот самый Остин, которого мы знали в колледже?

— Не нарывайся, Кейт, — шутливым тоном предостерег ее бывший однокашник. — Как знать, быть может, у меня сохранились от старых времен несколько снимков, на которых ты запечатлена основательно навеселе.

Двое старых приятелей, очевидно, имели привычку к дружеской перебранке.

Лори заметила, как Ник Янг подтолкнул локтем Остина.

— Выше голову, — распорядился он, — возможно, нам с тобой сегодня придется попотеть у стойки бара, чтобы добиться женского внимания.

Обернувшись, Моран увидела, что в бальный зал вошел Алекс, и у нее даже перехватило дыхание. Лицо его успело слегка загореть, а смокинг идеально облегал фигуру. Лори немедленно посмотрсла на собственное платье и тихо порадовалась, что потратила на него уйму денег. Правда, и тут же пожалела о том, что почти совсем пренебрегла косметикой.

— Ты, как всегда, прекрасна, — проговорил Бакли, когда она подошла к нему.

— Ну а ты являешь собой воплощенную мужественность. — Произнося эти слова, Моран ощутила, как ее охватывает особенно теплое чувство, вызванное близостью их тел.

Последним явился патриарх семейства Пирсов, Уолтер. В отличие от своей бывшей жены Сандры он направился сразу к Джеффу и поприветствовал его крепким рукопожатием. Он даже поздравил его и Меган с браком и пожелал им долгой и счастливой жизни.

Обозревая ансамбль персонажей, Лори не могла не заметить, как изменилась его внутренняя динамика после появления Уолтера. Поздоровавшись с бывшим женихом своей дочери и их с Амандой друзьями, он направился к своим родным, среди которых и оставался до конца вечера. Разговоры между Сандрой и ее детьми теперь происходили не столь естественно. Внимание всех членов семейства Пирс теперь сфокусировалось на Уолтере. Как прошел его полет? Понравился ли ему номер? Не налить ли ему еще бокальчик? При всем том, что случилось в его семье, он до сих пор оставался ее главой.

«Но существовали ли на белом свете такие дети, которые были бы безразличными к мнению о них своего отца? — подумала Лори. И сама же ответила на собственный вопрос: — Нет».

Через десять минут она подошла к своему главному оператору.

— Я только что попросила свадебных гостей и родителей Аманды встать рядом для группового кадра, — проговорила она. — На этом закончим.

Когда все выстроились лицом к камере, стало ясно, что типичного для свадьбы снимка здесь не получится. Прежняя видимость вежливости испарилась. Рука Джеффа легла на плечи Меган, как бы защищая ее. По лицу Сандры текли слезы. Никто даже не пытался улыбнуться.

«Возможно ли, чтобы кто-то из этих людей настолько ненавидел Аманду, чтобы лишить ее жизни?» — задумалась Лори. Если только убийцей не был тот мужчина с мутной ленты видеокамеры внешнего наблюдения или какой-то другой случайно подвернувшийся незнакомец, убил Аманду скорее всего один из этих людей, глядевших сейчас в камеру.

Но кто из них?

34

В десять часов утра следующего дня камеры были установлены в номере 217 отеля «Гранд Виктория». Джерри выбрал это помещение для беседы с Сандрой и Уолтером Пирсами. Он выяснил, что именно в нем они останавливались, когда прилетели в Палм-Бич на свадьбу дочери, превратившуюся в ее поиски.

Согласно плану, согласованному Лори с Алексом, Сандре предстояло первой появиться перед камерой. За последние пять лет эта женщина превратилась в символ поисков пропавшей дочери. Она регулярно появлялась на телеэкране, умоляя общество о помощи и поддержке.

Заметно взволнованная, сжимавшая кулаки, миссис Пирс расположилась на небольшом диванчике, находившемся напротив кресла, в котором поместился Алекс. На ней была полотняная блузка бирюзового цвета и свободные белые брюки. Именно в этом самом наряде она узнала об исчезновении своей дочери. Сандра сказала Лори, что не смогла заставить себя избавиться от этих вещей.

Глубоко вздохнув, она кивнула Моран, давая знак, что готова.

Бакли начал с того, что попросил ее описать тот момент, когда она впервые осознала, что Аманда исчезла.

— Кажется, что я ощутила это буквально своими костями, как только вошла в вестибюль, — стала рассказывать женщина. — Я увидела Джеффа, Меган и Кейт, собравшихся вместе возле столика портье, и сразу поняла, что случилось нечто плохое. А потом Джефф сообщил мне, что Аманда исчезла, и я почувствовала, как земля уходит у меня из-под ног. Все вокруг были встревожены, но и уверены в том, что в конечном счете все утрясется вполне благополучным образом. Все, кроме меня. Я сразу ощутила, что произошло большое несчастье.

— А был ли такой момент, когда вы почувствовали, что ваши страхи полностью подтвердились? — спросил Алекс.

Миссис Пирс покачала головой.

— Нет, незнание — худшая часть подобной ситуации. Я была ошеломлена, лишилась дара речи, находилась в полном замешательстве. Однако то, что Аманды больше нет, окончательно до меня дошло в тот момент, когда полиция затребовала ее белье, чтобы дать понюхать разыскным собакам. Мысль о том, что собаки пойдут по следу моей девочки... — Голос ее прервался.

— В первые дни поисков, — продолжил ведущий, — многие представители прессы называли вашу дочь Сбежавшей невестой...

Сандра презрительно покачала головой еще до того, как он договорил.

— Это было ужасно. Какие-то нелепые шуты гадали, как скоро она объявится подшофе на танцплощадке в Майами. Моя дочь не легкомысленная и вздорная девица, решившая пофорсить под белой вуалью. Она — серьезная и умная женщина.

— Вижу, вы говорите о ней в настоящем времени, — заметил Бакли.

— Да, я пытаюсь. Потому что хочу этим сказать, что никогда не перестану бороться за свою дочь. Она где-то там — неведомо где, но Аманда Пирс находится где-то там, жива она или мертва — и она требует, чтобы ее нашли. Я уверена в этом так, как не была уверена ни в чем другом во всей своей жизни.

Алекс посмотрел на Лори, проверяя, не хочет ли она передать ему какую-нибудь записку, прежде чем последовать дальше. Продюсер не шевельнулась.

— Сандра, — проговорил Бакли, — если вы не возражаете, мы хотели бы попросить отца Аманды присоединиться к нашему разговору.

Меньше чем через минуту в комнате появился явно смущенный Уолтер, опустившийся на диван рядом с бывшей женой. Лори отметила, что, хотя в комнате и было достаточно места для того, чтобы они уселись поудобнее, глава семейства выбрал место рядом с Сандрой. Она ласково похлопала его по колену.

Алекс начал:

— Уолтер, многие из наших зрителей давно знают Сандру. Первоначально и вы часто появлялись перед телекамерами. Однако по прошествии трех месяцев, насколько я могу судить, Сандра заняла ведущее место в продолжавшихся поисках вашей дочери. Вы так же, как она, уверены в том, что с вашей дочерью произошло нечто ужасное в ночь ее исчезновения?

Пирс опустил голову, а потом посмотрел на бывшую супругу.

— Могу сказать, что всегда был уверен только в своей любви к Аманде и к остальным членам моей семьи. И я верю Сандре в том, что, по ее словам, подсказывает ей ее материнская связь с Амандой. В том, что кровь и плоть говорят ей, что в ту ночь путь Аманды пересекся со злом. Сам я не обладаю подобным шестым чувством, однако их обеих всегда соединяла подобная связь. В прошлом, когда никто не клал в детские колыбели никаких датчиков, Сандра просыпалась посреди ночи только потому, что просыпалась Аманда. Помнишь?

Кивнув, миссис Пирс негромко произнесла:

— Помню.

Комментатор продолжил:

— Насколько я понимаю, по всем показателям Аманда превосходно проявила себя в фирме «Ледиформ», вашем семейном бизнесе.

— Вы абсолютно правы, — с гордостью подтвердил Уолтер.

— Кое-кто утверждал, что необходимость принять ваше наследие и продолжить дело непосильным бременем легла на следующее поколение Пирсов. Аманде было всего двадцать семь лет, и карьера ее была уже размечена до конца жизни. И вот она собралась выйти замуж. Возможно ли, чтобы такое давление оказалось для нее непосильным? Не допускаете ли вы возможности побега... Что, если Аманда просто сбежала и начала где-то новую жизнь?

— Когда речь заходит о том, что могло случиться с Амандой, я, как и любой зритель вашей программы, погружаюсь в область предположений, — ответил Уолтер. — Однако хочу сказать следующее — просто на тот случай, если моя дочь смотрит эту передачу. Прошу тебя, возвращайся домой, моя милая. Или просто позвони своей матери, чтобы она знала, что с тобой все в порядке. И если кто-то удерживает нашу дочь, прошу вас, мы сделаем все возможное, пойдем на любые расходы, чтобы вернуть ее.

Уолтер находился на грани слез, и Лори видела, что Алекс жалеет о том, что надо переходить к следующему вопросу. Продюсеру оставалось только надеяться на то, что из всех этих разговоров выйдет какой-то толк.

— Простите, что я поднимаю этот вопрос, — проговорил Бакли, — однако поскольку наше шоу связано с преступлениями и утратами, которые они производят в нашей жизни, стоит упомянуть о том, что после тридцати двух лет, проведенных в законном браке, вы развелись два года назад. Неужели именно исчезновение Аманды привело в конечном счете к расторжению вашего супружества?

Повернувшись к Сандре, Уолтер спросил с нервной улыбкой:

— Не ответишь?

Миссис Пирс решила ответить сама:

— Мы с Уолтером никогда не думали, что окажемся в числе разведенных пар. Мы не допускали подобной возможности. Люди пытались узнать у нас секрет столь долгого брака, и Уолтер отвечал им: «Мы не бросаем друг друга!» Однако, увы, исчезновение дочери изменило нас — и каждого по отдельности, и как пару. Пути наши в какой-то момент разошлись. Уолтер хотел вернуться... — нет, он *нуждался* в возвращении к прежней жизни. Ему приходилось руководить своей компанией, у нас оставались еще двое детей и внуки — словом, надо было жить дальше. Я попыталась сделать это ради Генри и Шарлотты, но поняла, что окаменела. Мне суждено пребывать в чистилище до тех пор, пока я не найду Аманду. И этот факт поставил над нашим супружеством знак вопроса.

— Уолтер, — негромко спросил Алекс, — не хотите ли вы что-то добавить к этим словам?

— Если вам случится дожить до наших лет, то память неминуемо подскажет вам темы для сожаления. В первую очередь я сожалею о том, что допустил, чтобы Сандра испытывала подобные чувства. Но правда состоит в том, что жизнь моя так и не стала прежней и не передвинулась к следующему этапу. Я так же, как и ты, Сандра, пребываю в неопределенности, но при этом еще и в одиночестве. — Пирс посмотрел на свою бывшую жену. — Потому что ты так и не поняла одну вещь: я не был сильным в нашей паре. Сильной была ты. И я не мог отправиться вместе с тобой в путь, чтобы искать и найти Аманду, потому что у меня не было для этого сил. Я боялся убедиться в том, что наша девочка и в самом деле мертва, и не мог примириться с той мыслью, что успел настолько надоесть ей, что из-за меня она отказалась от всей своей семьи. И поэтому я спрятался, зарылся носом в работу, изображая, что движусь вперед. Но я оставил свое убежище. Я здесь, вместе с тобой, Генри и Шарлоттой. И я готов узнать правду, куда бы она ни привела нас.

Лори дала знак операторам, чтобы они прекратили съемку, и в комнате стало совсем тихо. Заметив, что Уолтер вытирает слезинку, она отвернулась. Чувства Пирсов заслуживали уважения.

Это было минутой молчания по Аманде.

35

Вернувшись в свой номер, Лори обнаружила, что ее отец сидит на диване и смотрит кабельную программу новостей. Он немедленно выключил звук кнопкой на пульте управления, и Моран, сбросив туфли, уселась рядом с ним на диване.

— Зрелище было не из легких, — вздохнула она.

Они занимали номер со смежными комнатами, в каждой из которых было по две постели. Дверь между комнатами была открыта, и за ней был виден Тимми, занятый своей игровой приставкой.

Став свидетелями того неприкрытого горя, которое Сандра и Уолтер испытывали по своей пропавшей дочери, Лори могла только благословить судьбу за то, что ее отец всегда был рядом с ними.

Лео обнял ее за плечи.

— Не сомневаюсь в том, что тебе пришлось нелегко, но похоже, что у меня есть для тебя и добрые вести. Твой новый подозреваемый, этот человек с записи, может оказаться действительно интересным.

Лори пришлось подождать, пока ее отец поднялся и подошел к столу, стоявшему в углу комнаты.

— Помнишь, я говорил тебе, что этот практикант имеет одну судимость? — спросил он.

— Конечно, помню. Вроде как проигнорировал предписание суда. И что же он сделал? Отказался отвечать за нарушение ПДД?

— О, это было бы не так интересно, как то, что я тебе сейчас покажу! — И Фэрли с серьезным выражением на лице подал дочери бумажный скоросшиватель. — Начни с первого документа. Это и есть решение суда.

Шапка на первом листе гласила: «*Защитное предписание*». Оно было зарегистрировано истцами Патрисией Энн Мансон и Лукасом Мансоном против Джереми Кэрролла, ответчика. В первом параграфе суд признавал, что Кэрролл принес истцам «значительный эмоциональный ущерб и расстройство», неоднократно надоедая и докучая им, не имея на то «законной причины». Своим предписанием суд запрещал Кэрроллу приближаться к Мансонам ближе, чем на 840 футов[1], или преднамеренно вступать с ними в контакт и сообщаться с ними любым возможным способом.

— Постановление суда обвиняет его в преследовании, — проговорила Лори, продолжая перелистывать страницы. — Почему именно на восемь сотен и еще сорок футов? Какое-то странное число.

— Мансоны были его соседями. Я думаю, что расстояние это было отмерено от его двери до границы их участка. Суд не имеет права выселить его из собственного дома, — объяснил Лео.

---

[1] Около 260 м.

Следующий документ представлял собой письменное показание Лукаса Мансона, в котором он под присягой подтверждал обвинения, ставшие основой обвинений в преследовании.

— Ничего себе, — проговорила Лори, — похоже, он полный псих! Не стоит удивляться, что некоторые из клиентов фотографа жаловались на его неумение соблюдать границы.

Она быстро прочла судебные документы. Показания Мансонов, людей уже разменявших седьмой десяток лет, гласили, что поначалу они одобряли попытки Кэрролла завести дружеские отношения. Он помогал им занести в дом покупки, а потом даже стал носить им по выходным свежие овощи с фермерского рынка. Но затем они заметили, что шторы на его окнах шевелятся, когда они подстригают лужайку или сидят на задней веранде, одновременно наслаждаясь коктейлем и закатом. Лукас был уверен в том, что дважды замечал между раздвинутых штор блеск объектива. Когда он спросил у Джереми, фотографирует ли он их, тот удалился внутрь дома и вернулся с полным снимков альбомом. Там было множество их фотографий: Патрисия ухаживает за кустами роз, Лукас жарит барбекю на заднем дворе, оба они смотрят телевизор на софе за открытым окном в гостиную... Лукас был настолько ошеломлен увиденным, что даже не знал, что сказать, и сразу ушел. Джереми воспринял отсутствие негативной реакции как одобрение и каждую субботу начал оставлять новые фото на их крыльце, создав целую пространную коллекцию из тех моментов, которые они считали своими личными. Последней соломинкой, заставившей Мансонов обратиться в суд, стало то, что Джереми начал называть их мамой и папой. Когда Лукас набрался храбрости и спросил о причине этого, Джереми ответил то, что он, мол, лишен своих биологических родителей.

Когда Лори закончила читать, Лео передал ей распечатку совсем другого рода фотографии, уже официальной. Изображенный на ней мужчина держал табличку, на которой было написано: «Джереми Кэрролл», а за фамилией следовали дата рождения и дата ареста, состоявшегося пять месяцев назад. Судя по ростовой линейке за спиной арестанта, Моран могла сказать, что рост Джереми составлял пять футов десять дюймов[1]. У него были поредевшие каштановые волосы, бледные, полные щеки и поникшие плечи.

— Этот человек вполне может быть тем мужчиной с записи камеры внешнего наблюдения, который, увидев Аманду, повернулся и последовал за ней, — с волнением в голосе произнесла продюсер. — Вижу, что он был арестован за нарушение порядка.

— За относительно небольшое нарушение. Он оставил в почтовом ящике Мансонов вставленную в рамку фотографию розовой колпицы вместе с запиской, в которой просил прощения за, так сказать, «взаимное непонимание».

— *Розовая колпица*? Это что еще такое?

— Птица. Слегка похожа на пеликана. Милашка.

— Не буду спрашивать, как ты это узнал.

— Тимми нагуглил.

— Не буду даже говорить тебе, что я подумала. Фото живой птицы? Но это совсем не страшно.

[1] Почти 178 см.

— Его не посадили. В этом тонкость закона о преследовании. Важен контекст. Мансоны были по-настоящему испуганы. А судья не проявил к Джереми никакого снисхождения. Он счел его виновным и приговорил к двум годам условного заключения с продлением защитного предписания. И предупредил, что в случае следующего нарушения он окажется в тюрьме.

— Пап, если этот Джереми почему-то решил, что нашел себе суррогатных родителей в лице своих соседей, в каком родстве он мог посчитать себя с такой ослепительной красоткой, как Аманда?

36

Лори была настолько поглощена разговором с Лео, что едва не опоздала к съемкам следующего эпизода. Разговор с Генри, братом Аманды, был запланирован на краю территории курорта, возле океана. Пока Моран шла туда, камеры уже расставили по местам, а гримерша наносила последний слой пудры на загорелые щеки Генри.

Прошлым вечером Лори почувствовала, что младшему Пирсу неудобно в официальном костюме, и интуиция не подвела ее. Сегодня, в брюках хаки и полувоенного покроя рубашке с короткими рукавами, он показался ей совершенно другим человеком, чем прошлым вечером.

— Прости, опоздала, — шепнула она Джерри, прикреплявшему беспроводной микрофон к воротнику рубашки Генри.

— Не сомневался в том, что ты появишься вовремя, — отозвался ее помощник. — Как и всегда.

Пирс поерзал в кресле, как бы пытаясь устроиться поудобнее.

— А вы действительно считаете, что это шоу может и в самом деле помочь нам узнать, что произошло с Амандой? — спросил он.

— Гарантии мы не даем, — ответила Лори, — но оба наших предыдущих выпуска себя оправдали.

Алекс также предпочел выбрать более неофициальный облик. Продюсер немедленно отметила, что зеленая рубашка-поло подчеркивает цвет его сине-зеленых глаз.

— У тебя все в порядке? — поинтересовался он.

Обыкновенно Лори первой появлялась на месте съемок.

— Все хорошо, — ответила она. — Не хотелось бы отправлять тебе крученый мяч, однако можешь расспросить Генри о свадебном фотографе и его стажере, Джереми Кэрролле? Объясню потом.

— Генри, — заговорил Бакли после того, как началась запись, — давайте начнем... не хотите ли рассказать нам, когда и как вы видели свою сестру в последний раз?

— Это было примерно в пять часов вечера, в четверг. Мы ввосьмером — Аманда, Джефф и их друзья и свидетели — встретились с фотографом, чтобы сделать несколько неформальных кадров на территории отеля. Закончив съемку, все мы разошлись по номерам, чтобы отдохнуть и переодеться к обеду, — сказал Пирс.

— Итак, вы встретились с Джеффом и его университетскими приятелями, Ником и Остином, в восемь часов вечера... правильно?

— Правильно. Я подумал, что, по правде сказать, глупо устраивать отдельный девичник и мальчишник, однако был вынужден последовать общему настроению. Учитывая присутствие Ника и Остина, я с ужасом ждал появления полураздетых танцовщиц, но Джефф настоял на том, чтобы были соблюдены приличия.

— И тем не менее вы не стали засиживаться.

Генри кивнул.

— В то время у нас дома был новорожденный, поэтому моя жена не поехала на свадьбу и осталась дома. Моей мечтой, связанной с этой поездкой, была возможность проспать без перерыва несколько ночей. К тому же для остальной компании я был все-таки посторонним. Они трое были приятелями, но я знал только Джеффа. По сути дела, в этой компании я присутствовал только в качестве брата Аманды.

— Вы только что упомянули фотографа, — продолжил Алекс. — Вы имели в виду Рэя Уокера?

Генри пожал плечами:

— Не помню имени этого человека, знаю только, что он показался мне очень высоким. Даже повыше вас. На мой взгляд.

— А вы не помните помощника, который приходил с ним? Его звали Джереми Кэрролл.

Лори улыбнулась. Бакли умел задать каждый вопрос так, словно бы он только что пришел ему в голову.

Пирс прищурился, и его словно бы осенило:

— Ах да, был такой парень! Вспомнил его. Он предложил, чтобы все мы стали у кромки бассейна и изобразили, что собираемся прыгнуть в воду. Высокий затем отдал снимки моим родителям, и это фото понравилось мне больше прочих.

— И сколько времени все вы провели вместе с фотографами?

— Около сорока минут.

— А после этого вы не видели фотографов на территории отеля?

— Нет, но я, по правде сказать, никуда не выходил. Я находился в своем номере, а потом, без сколько-то там восьми, мы встретились в вестибюле с парнями и доехали до ресторана «Стейк и плавник» возле поля для гольфа. Я оставил компанию, когда они начали заказывать послеобеденный бокал, вернулся в свой номер и решил, что настала ночь.

— Вы взяли такси? — спросил Алекс. — То есть ни у кого из вас не было арендованной машины?

Лори всегда впечатляла та находчивость, которую проявлял ее друг в этих своих собеседованиях. Задать вопрос, имели ли свадебные гости в своем распоряжении автомобили, ей следовало еще до начала съемок, однако Бакли сообразил сделать это при первом же намеке.

— У меня лично не было, — проговорил Генри, — и у Шарлотты тоже. Но насколько я помню, Аманда и Джефф арендовали машину. Аманда хотела сделать покупки на Ворт-авеню, не связывая себя с такси.

— А вам случалось брать автомобиль напрокат? — задал Алекс новый вопрос.

Генри сперва кивнул, а потом усмехнулся:

— Хотите верьте, хотите нет, но парни тоже отправились по магазинам. Как-то всем вдруг понадобилась какая-то мелочь — брючный ремень, носки, крем для бритья... Так что днем в среду все мы вчетвером ездили в город.

— Для ясности: на той самой машине, которая пропала после исчезновения Аманды?

— Да, на той самой.

— А кто-нибудь еще из свадебных гостей мог арендовать автомобиль?

— Не думаю.

— Хорошо, вернемся к нашему ассистенту фотографа. Вы не заметили в нём ничего необычного?

— То есть?

Лори и ее съемочная группа всегда старались не задавать своим свидетелям наводящих вопросов, однако в давнем, висячем деле часто возникала необходимость освежить память клиента.

— Соблюдал ли он правила профессиональной этики во время ваших сессий?

— Ну да, конечно. Впрочем, раз уж вы так сказали, помню, что Кейт жаловалась на то, что он вел себя с ней запанибрата.

— Это как? — поинтересовался Алекс.

— Собственно, ничего особенного. Скорее, он был примерно нашим ровесником, особенно в сравнении с его старшим напарником, и интересовался нашим обществом, ну как если бы был нашим старым знакомым. Я не обращал на это особенного внимания, однако я не знаток общественного этикета.

— Похоже, что вы — жизнерадостный человек, — проговорил Бакли.

— Мне приятно считать себя таковым.

— И это отчасти является причиной того, что вы решили пойти своим путем и не участвовать в семейном бизнесе? Могу представить себе, что отношения между взрослыми детьми, стремящимися руководить компанией совместно, могут сделаться несколько напряженными.

— Я пошел своим собственным путем, потому что делать вино мне нравилось больше, чем шить «дамское исподнее». — Генри обеими руками нарисовал в воздухе кавычки. — Я способен разве что торговать им.

— Но надеюсь, вы согласитесь с тем, что между вашими сестрами в этой области существовало кое-какое соперничество?

Лори видела, что Пирсу не нравится этот вопрос, однако во время короткого разговора с ней на прошлой неделе он дважды упомянул об этом раздоре между своими сестрами и теперь не мог отрицать этого.

— Все дети, даже взрослые, стремятся заслужить одобрение своих родителей, и путь к сердцу моего отца всегда лежал через его дело, — ответил он. — И потом, конечно же, все хотят уважения в своей работе, и мои сестры ничуть не отличались в этом отношении.

— Однако не всякое соперничество бывает равным, так ведь? — продолжил расспросы Алекс.

— Аманда всегда была более уверенной в себе, чем Шарлотта.

— Будет ли справедливо сказать, что Шарлотта иногда ревновала к Аманде? — Алекс перешел к манере перекрестного допроса, которой владел в полной мере.

— Полагаю, что так.

— И даже злилась на нее?

— Иногда.

— Разве Шарлотта не обижалась на то, что ваш отец разрешил вашей сестре открыть контору в Нью-Йорке и расширить область действий компании вопреки тому, что она, как старшая сестра, выражала сомнение в этой идее?

Лори выудила этот лакомый кусочек из бывшей помощницы Аманды.

— Да, она была очень расстроена, — согласился Пирс. — Но если вы намекаете на то, что это Шарлотта расправилась с нашей сестрой, то считайте эту мысль безумной. Понятно? Именно по этой причине я и не хотел участвовать в вашем дурацком шоу.

— Мы никого не обвиняем, Генри. Мы только хотим добиться более глубокого понимания...

Но брат Аманды уже откреплял свой микрофон.

— Вы назвали меня жизнерадостным человеком — так это потому, что я называю все вещи своими именами... такими, какими их вижу, а вижу я вот что: вы указываете пальцем на всех людей, которых знала и любила Аманда, а вместо этого вам надлежало бы выслеживать местных ублюдков. Так что я ухожу.

Когда они поняли, что Генри не вернется, Алекс пожал плечами.

— Случается.

Зная характер своего шоу, Лори успела привыкнуть к обвинениям в том, что направляет свои подозрения не в ту сторону, но на этот раз слова Пирса показались ей обидными. Всех тех, кого они позвали сюда, Аманда любила в достаточной степени для того, чтобы пригласить на собственную свадьбу. «Убитые чаще всего становятся жертвами близких им людей, хотя Аманда действительно могла стать жертвой человека, совершенно незнакомого ей до приезда в это чудное место», — подумала Моран.

И, возможно, этим человеком был как раз Джереми Кэрролл.

37

Сидя в коктейль-холле курорта, Лори изучала смелые до безрассудства предложения из списка «фирменных напитков». Меню гласило, что все они были делом рук местного бармена, считавшегося мастером-миксологом.

Окруженная убранством в стиле ар-деко[1], продюсер ощущала себя в подпольном баре времен сухого закона.

Ощутив ласковое прикосновение к плечу, она подняла вверх глаза и увидела Алекса.

Он легонько поцеловал ее.

— Надеюсь, что тебе не пришлось долго ждать.

— Я сама только что села. И кто же победил? спросила Моран. Чуть раньше Алекс и Лео улизнули в соседний спортивный бар, чтобы посмотреть игру «Янки» на большом экране.

И хотя Фэрли принес обет придерживаться полезной для сердечников диеты, сторонником которой сделался в прошлом году после того, как в правом желудочке его сердца установили два стента для расширения сосудов, его дочь была готова поклясть-

---

[1] Ар-деко — архитектурный и интерьерный стиль 1920—1930-х гг., совмещавший изящество архитектуры и декора конца XIX — начала XX в. и простые формы, продиктованные популярностью авангардистского искусства.

ся головой, что папа так и не смог отказать себе в нескольких куриных крылышках.

— «Ред сокс»... — простонал Бакли. — Один-девять, полный нокаут. А как отобедало твое чадо?

— Великолепно. Тимми сперва слопал целую тарелку спагетти с фрикадельками, а потом добавил половину моей лазаньи. У моего маленького мальчика большой аппетит. Кроме того, он все время пристает ко мне с тем, чтобы вы вместе сходили на водяную горку.

— Охотно возьму его, — проговорил Алекс. — Можно сходить завтра с утра пораньше, до того, как начнутся съемки.

— И погубить эту великолепную прическу?

— Грейс начала, ты присоединилась, — ухмыльнулся комментатор. — Ладно, уж если вы считаете ее великолепной...

Явилась официантка с двумя бокалами воды и блюдом маслин.

Лори заказала водку с «Мартини», а ее друг ограничился имбирным пивом.

— Мы с твоим отцом уже успели промочить горло. Надеюсь, ты не хочешь, чтобы у меня завтра на съемках были мешки под глазами? — Протянув руку через стол, он прикоснулся к ладони подруги. Рука его была теплой, приятной...

— Ну а я за обедом ограничилась одним только чаем. С девятилетним ребенком приходится образцово себя вести. А если о наших баранах, — проговорила Лори, — что-нибудь из того, что Генри сказал сегодня об арендованной машине, может помочь нам?

Алекс вздохнул:

— Едва ли. Какое-то время назад я наткнулся на Остина в вестибюле. Он подтвердил рассказ Генри: они действительно ездили вчетвером на этом автомобиле в город. Нетрудно предположить, что Кейт, Шарлотта или Меган тоже расскажут, что подруги невесты также ездили в машине за покупками.

— Я перепроверю полицейский отчет о поисках арендованной машины, — сказала Моран. — Джерри говорил, что в ней не нашли ничего подозрительного, однако придется проверить.

— После разговора с Генри... — Бакли отпил из бокала и усмехнулся. — Автомобиль обнаружил один пожилой джентльмен спустя три дня после исчезновения Аманды. И немедленно сообщил об этом в полицию. Под нажимом полиции, желавшей знать, что ему потребовалось на заброшенной автозаправочной станции, он признал, что ему нужно было срочно облегчиться и он опасался, что не дотерпит до дома.

Лори улыбнулась:

— А что именно заставило его обратиться в полицию?

— Он не намеревался этого делать, однако заметил на земле возле водительской двери связку ключей. Тогда он решил, что машину украли и бросили, и, вернувшись домой, набрал номер девять-один-один.

— А есть какие-нибудь улики по ДНК или отпечаткам пальцев? — продолжила расспрашивать продюсер.

— Полиция проверила и то, и другое. Они сумели обнаружить на рулевом колесе отпечатки пальцев Аманды и Джеффа. Пальчики Аманды сверили с отпечатками, найденными на вещах в ее номере. Джефф добровольно сдал свои. Машину водили оба, поэтому результаты ничем не удивили. Следы ДНК тоже никуда не привели. В автомобиле ездили все шестеро друзей жениха и невесты, поэтому сам факт обнаружения их ДНК ничего не говорит. К тому же машина была арендована, не забывай. Пусть ее на скорую руку протерли и пропылесосили после предыдущей аренды, в ней обязательно будет полным-полно следов самых различных ДНК, оставленных более ранними клиентами. Полиция сверила найденные следы ДНК с хранящимися у них в базе данных образцами ДНК сексуальных преступников, однако ничего похожего не нашли.

— Так, значит, машина не может рассказать нам ничего интересного, — проговорила Лори.

— Ну, не совсем так, — ответил Алекс. — Хотя если бы обнаружили кровь, клочки волос, какие-нибудь другие свидетельства борьбы... Но ничего подобного не нашли. И еще одна подробность: в ночь перед тем, как была найдена машина, шел очень сильный дождь. Так что следы ног самой Аманды, или того, кто с ней был, или возможные отпечатки шин другой машины смыло водой.

— Тупик, — вздохнула Моран.

— Опа, посмотри-ка туда: у нас есть компания возле бара, — негромко проговорил ее друг.

Лори украдкой посмотрела в сторону стойки бара. В бокалах Остина и Ника явно угадывался виски. Оба в унисон повернули головы, когда мимо них прошли несколько молодых женщин в коктейльных платьях.

— Промышляют, голубчики, — сказала продюсер.

— Похоже на то, — согласился Бакли.

— Интересно, как они отнесутся к моему вмешательству? Хочу спросить их о том, помнят ли они Джереми Кэрролла.

— Я сам думал о нем сегодня днем, — проговорил Алекс. — Ручаюсь в том, что полиция даже не подумала связать его с делом Аманды.

— Не сомневаюсь в этом. Самому фотографу Рэю Уокеру это не приходило в голову до тех пор, пока ему не позвонил Джерри. Клиенты начали жаловаться на Джереми только после исчезновения Аманды. И его соседи затребовали судебную защиту только в прошлом году. Полиция никак не могла догадаться о том, что Джереми обслуживал свадьбу Аманды.

— А ты не думала обратиться к нему по поводу участия в шоу?

— Конечно, мы не можем оставить его без внимания. Если бы только существовал какой-то способ установить, он ли был тем самым мужчиной, который повернул за Амандой на пленке камеры внешнего наблюдения! Интересно, что скажут нам Ник и Остин.

— Хочешь, чтобы я пошел с тобой? — спросил Алекс, уже поднимаясь с места.

— Нет, мне кажется, что ты смутишь их. Они невыгодно смотрятся рядом с самым привлекательным мужчиной «Гранд Виктории».

Бакли с улыбкой проводил подругу взглядом.

— Миссис Моран! — воскликнул Ник Янг. — Позвольте угостить вас.

Лори отметила, что ее появление не вызвало на лице Остина никакой радости. Должно быть, нынешним вечером он рассчитывал на дамскую компанию другого рода.

— Пожалуйста, зовите меня Лори, и спасибо, но от угощения я должна отказаться — уже заказала. — Она указала в сторону Алекса, чуть помахавшего ей рукой. — Не стану долго мешать вам своей персоной, однако в ходе нашего расследования возник неопределенный момент. Вы случайно не помните молодого человека, помогавшего фотографу снимать свадьбу Джеффа и Аманды? Его звали Джереми Кэрролл.

— А, практикант, — немедленно отозвался Остин Пратт. — Длинноносый, ничем не примечательный парень. Но снимки он делал хорошие, насколько я помню.

— Значит, вы помните его!

— Остин помнит всех, — проговорил Ник. — Он у нас Человек дождя в плане наблюдения за людьми. Я в этом отношении другой. Не помню даже, был ли вообще фотограф на этой свадьбе.

Пратт приступил к подробному описанию фотографии, снятой днем возле бассейна перед мальчишником, однако на лице его друга читалось полное безразличие.

— А вы не заметили чего-то необычного в его манерах? — спросила Лори.

— Вы считаете, что он может оказаться подозреваемым? — уточнил Остин напряженным голосом. — Все эти годы мы все время твердили людям, что Джефф никак не мог поднять руку на Аманду. Генри еще тогда сказал, что она, наверное, пошла гулять и нарвалась на опасного преступника. Возможно ли, чтобы им оказался этот практикант?

— В данный момент мы пытаемся убедиться в том, что располагаем полным перечнем людей, с которыми могла встретиться здесь Аманда, — ответила Моран.

— Если подумать, этот парень проявлял внимание буквально ко всем, — проговорил Пратт. — Тогда я решил, что он просто чрезмерно усердный, что вполне понятно для практиканта.

— А он проявлял особенный интерес к Аманде? — задала продюсер новый вопрос.

— Да, как будто бы. — Голос Остина наполнила глубокая озабоченность. — Тогда это казалось нормальным. В конце концов, она была невестой. Возможно, кому-то следовало сказать об этом полиции.

— Ну, одно дело переусердствовать в собственной работе, а другое — убить человека. — Моран не видела причины рассказывать собеседникам о недавних проблемах Джереми с законом.

Ник допил свой скотч и дал знак, чтобы принесли счет.

— Лори, это все, чем мы можем помочь вам сегодня?

Оба молодых человека, очевидно, рассчитывали на более веселые разговоры и общение с куда более доступными женщинами.

— Еще один вопрос, пока вы никуда не ушли: мы пытались выяснить, в чьем распоряжении были на той неделе арендованные автомобили. Джефф и Аманда брали машину напрокат, а вы?

— Нет, машина была только у Джеффа. Но в этом путешествии мы на яхте, — произнес Янг, заметно радуясь собственной шутке. Остин начал в мучительных подробностях рассказывать Лори о новообретенной любви к плавсредствам и о том, как они пользуются табличками «Сначала дамы» и «Одинокий голубь» в своих путешествиях.

— И это все? — спросил затем Ник. У Моран возникло впечатление, что он собирается либо немедленно уйти, либо заказать себе новую порцию спиртного.

— Да. И, если вы не против, я оплачу, — сказала она, протягивая руку к счету. — Это самое меньшее из того, что я в состоянии сделать.

Янг осторожно, но явно флиртуя, опустил ладонь на ее руку.

— Мне неприятно говорить это, Лори, однако вы берете на себя не только этот счет.

«Бретт будет в восторге», — подумала продюсер.

38

— Ну и как прошел разговор? — спросил Алекс, когда она вернулась к его столику.

Моран поведала ему новую информацию, и он, как всегда, мгновенно переработал ее.

— Значит, еще один человек утверждает, что Джереми Кэрролл малость того.

Джефф, Остин и Ник назвали полиции одну и ту же временную последовательность. По словам всех троих друзей, после обеда они поднялись в номер Джеффа, чтобы выпить на сон грядущий. Около одиннадцати вечера они распрощались, и Ник с Остином отправились по собственным номерам спать.

— Алекс, только подумай, — сказала Лори. — Все четверо в одиннадцать часов предположительно находились в собственных номерах в одиночестве. Генри утверждает, что лег спать чуть раньше, около десяти вечера. А это означает, что никто не может подтвердить место нахождения всех четверых после одиннадцати часов в ту ночь, когда исчезла Аманда.

— Да, это так, — согласился Бакли.

— И около одиннадцати часов Аманда отошла от кабинки лифта.

— Так ты думаешь, что она встречалась с кем-то из четверых?

— Не знаю. И вопрос заключается в том, не болтался ли в это время Джереми около отеля? В таком случае он мог заметить Аманду и снова увязаться за ней.

— Я знаю, что твой отец нашел адрес Джереми — он живет неподалеку отсюда.

— Именно в эту сторону и направлен мой разум. После окончания завтрашних съемок я намерена нанести визит мистеру Кэрроллу.

— Лори, прошу тебя, только не говори, что ты собираешься посетить его в одиночестве!

— Не беспокойся. Меня будет сопровождать вооруженный комиссар полиции, то есть Лео.

— Так уже лучше. Ладно, перейдем к другой теме — не отобедать ли нам с тобой завтра вечером? В городе открылся новый изысканный ресторан, и, говорят, там совершенно чудесно.

— В самом деле? Только мы вдвоем?

— И за романтическим ужином ты расскажешь мне все о своей встрече с Джереми Кэрроллом.

— Ну что может быть романтичнее? — со смехом ответила Лори. — Я согласна.

Через полчаса они уже шли к лифту, и Моран вдруг обнаружила, что думает о Джереми Кэрролле. Взгляд ее обратился к уже темной веранде возле бара. Продюсер вполне могла представить себе затаившегося в тени Кэрролла с фотоаппаратом через плечо. А потом она представила себе Аманду, в тот вечер прошедшую мимо него, так и не заметив наблюдавшего за ней молодого фотографа. Фотографа, увязавшегося за ней.

39

Типичное жилье в районе Джереми Кэрролла представляло собой нечто среднее между ранчо и бунгало и имело вид скромный и аккуратный. За единственным исключением — его собственного дома. Двухуровневая ферма отчаянно нуждалась в покраске и стрижке лужайки. В иске соседей говорилось, что Джереми унаследовал этот дом три года назад от своей двоюродной бабушки.

Моран остановилась на тротуаре.

— Теперь, когда мы пришли, я вдруг подумала, а не следовало ли сначала обратиться к местной полиции, — сказала она отцу.

— Я прослужил в полиции тридцать лет, Лори, — ответил тот. — И знаю, как она работает. Если мы обратимся со своими подозрениями в местное отделение полиции, там потратят на размышления целый день. Может быть, даже обратятся за советом к помощнику окружного прокурора. А Джереми позвонит адвокату в ту же секунду, как только услышит вопросы про Аманду. Пока мы с тобой — всего лишь два частных лица, два представителя нью-йоркской телепрограммы. Этим фактом следует воспользоваться, чтобы заставить его говорить.

— Но имеем ли мы право просто подойти к его двери и постучать?

— Пока я рядом, нам ничего не грозит.

Лори увидела, как рука Лео опустилась в карман, в котором он держал пистолет. После всех лет, проведенных в полицейском департаменте, ему было как-то неуютно без оружия.

Фэрли нажал кнопку дверного звонка, и Моран ощутила, как заколотилось ее сердце.

Неужели они вот-вот увидят лицо убийцы Аманды?

Как только дверь медленно отворилась, она сразу узнала Джереми по фотографиям. На лице его застыло то же самое испуганное и затравленное выражение.

— Что вам здесь нужно? — вырвалось у него.

Лори чисто инстинктивно посмотрела на его руки и одежду, чтобы проверить, не вооружен ли он. В руках Джереми ничего не держал, а одет был в тениску и тренировочные брюки — костюм, явно не предназначенный для того, чтобы скрывать под ним оружие. Убедившись в этом, женщина сразу почувствовала, что пульс ее возвращается к нормальному состоянию.

Тут ее взгляд обратился за спину Джереми, к внутренним помещениям дома. Потертый коричневый диван и старый телеприемник составляли всю обстановку гостиной. В комнате чуть подальше находился небольшой столик и два стула, должно быть, означавшие, что комната эта является столовой. Невзирая на более чем скудную мебель, дом был загроможден превыше всякой возможности. По разным углам были расставлены старые компьютеры, видеооборудование и принтеры. Стопки журналов и газет достигали высоты футов в пять. И куда бы Лори ни посмотрела, повсюду были фотографии — на полу, на столе, пришпиленные к стенам комнаты и вдоль лестницы.

Она посмотрела на Лео круглыми глазами, и тот взял на себя инициативу.

— Мы представляем «Студию Фишера Блейка» и хотели бы поговорить о ваших фотографических работах.

Ловкий ход. Название телепрограммы неминуемо насторожило бы Джереми, а вот слова «Студия Фишера Блейка» вполне подходили для фотографической фирмы. Впрочем, Кэрролл все равно смотрел на обоих неожиданных гостей с опаской.

— Я рассылал свои снимки по всем крупным фотостудиям Южной Флориды, — сказал он. — Но я никогда не слышал о вас, мистер Блейк.

— О, что вы, я не мистер Блейк! Меня зовут Лео. — Отец Моран протянул фотографу руку. — А это Лори. Мы с ней не местные. Мы с ней из Нью-Йорка.

Глаза Джереми зажглись при упоминании Большого яблока[1], а затем взгляд его немедленно опустился к фотографии кадра, снятого камерой внешнего наблюдения отеля «Гранд Виктория». Лори сразу поняла, что он узнал себя. Сомнения оставили ее голову: камера действительно запечатлела именно Джереми, идущего следом за Амандой в половине шестого вечера ее исчезновения.

---

[1] Большое яблоко — прозвище Нью-Йорка.

— Это видео было снято в отеле «Гранд Виктория», — констатировал Фэрли. — Вы видите запись даты внизу кадра? Помните этот вечер?

Джереми неторопливо кивнул. Он не стал отрицать того, что присутствует на ленте, снятой службой безопасности.

— Нанимавший вас фотограф Рэй Уокер сообщил нам, что вы закончили съемку в пять часов. Однако через полчаса вы с камерой еще находились на территории отеля. И когда увидели Аманду, изменили направление движения и последовали за ней. Все это было снято камерой внешнего наблюдения.

— Не понимаю. Кто вы? — спросил Кэрролл.

Лори решила, что следует еще более припугнуть Джереми, и сообщила ему, что они из программы «Под подозрением» и заняты расследованием исчезновения Аманды Пирс.

— Разрешите войти? — проговорила она и, не дожидаясь ответа, вступила внутрь дома. Лео последовал за ней. Моран больше не боялась. Перед ней был трус, прячущийся в тенях и черпающий силу из фотокамеры. В присутствии отца он не посмеет наброситься на нее.

— Почему вы не сообщили полиции о том, что видели Аманду после того, как вместе с Уокером закончили съемки? — строго спросил Лео.

— Потому что никто не спрашивал меня об этом, — ответил фотограф. — А кроме того, если бы я сказал им, меня тут же записали бы в подозреваемые. Меня всегда подозревают.

— Вижу, вы любите снимать людей, когда они не глядят на вас. — Лори указала на заполнившие этот дом фото. Даже при поверхностном осмотре было видно, что в большинстве своем они сняты с помощью телеобъектива, и присутствующие на них люди не подозревают, что за ними наблюдает незнакомец.

— Таково мое ремесло, — заявил Кэрролл. — Я не снимаю цветы и пейзажи. Я снимаю людей, причем не тогда, когда они принимают искусственные позы. Я ловлю те мгновения, когда они такие, какие есть. Разве не этого хотят все? Посмотрите на селфи, вывешенные по всему Интернету. Люди любят сниматься.

— Даже ваши соседи? — поинтересовался Лео. — Ваше ремесло их почему-то не обрадовало.

— Это было просто недоразумение. Я попытался объясниться, но меня не поняли. И, осознав, что они обижены мной, я сразу же уничтожил их снимки. Потому что хранить их было бы неправильно.

— А как насчет Аманды? — спросила Лори. — У вас есть ее снимки? Такие, о которых никто не знает?

Она подошла к обеденному столу и начала ворошить разложенные на нем фотографии.

— Прекратите! — гаркнул Джереми.

Фэрли шагнул в сторону дочери, загораживая ее от фотографа.

— А теперь прошу вас уйти, — проговорил Кэрролл более спокойным тоном. — Вы не имеете права находиться в моем доме. Вы вошли сюда без моего разрешения. Убирайтесь.

Моран посмотрела на отца в поисках указания, что делать дальше.

— Если вы не уйдете, я вызову полицию, — перешел Джереми к угрозам.

Взяв Лори за руку, Лео повел ее к входной двери. Ничего другого не оставалось.

— Папа, — проговорила она, когда оба они благополучно оказались в машине, — фото Аманды у него есть. Я чувствую это. И теперь он собирается их уничтожить.

— Он этого не сделает, — мрачным голосом проговорил Лео, запуская двигатель. — Они ему слишком дороги. Как память.

40

Как только Лори с отцом появились в его номере, Алекс обнял ее.

— Я не хотел, чтобы ты знала, как я волнуюсь, но, слава богу, вы оба вернулись целые и невредимые! Как прошел разговор? И каков он из себя?

Моран уселась на диван и прикрыла лицо руками.

— Пугливый.

— Полное ничтожество, — добавил Лео. — И явно тронутый.

— Живет как на складе, — пояснила Лори. — Повсюду стопки фотографий от пола до потолка. Прямо сцена из фильма ужасов. И как только я спросила, нет ли у него фото Аманды, он сразу же выставил нас из дома. Пап, не пора ли нам обратиться в полицию?

— И что мы там скажем? — спросил Фэрли. — У нас нет никаких доказательств. Но скажу тебе откровенно: это тот парень, которого полиции не хватило пять лет назад. Связать его с этим делом — уже большое достижение.

— Не понимаю, — проговорил Алекс. — Ты только что сказал, что у вас нет никаких доказательств. Откуда же у вас такая уверенность в том, что виноват именно он?

Лео покачал головой:

— Прости, я иногда забываю о том, что ты адвокат. Поверь мне, мы оба видели его. Джереми Кэрролл кое-что знает об этом деле.

— Лео, при всем моем уважении к тебе, это совершенно не означает, что он виновен. Мне не так уж редко попадаются клиенты, удостоившиеся внимания полиции только потому, что они нервничали в неудачный момент или пытались скрыть безобидный секрет.

— Никто не собирается никого...

— Ладно, пожалуйста, не спорьте, — попросила Лори. — Алекс, папа прав. Ты не видел эту берлогу. Можно не сомневаться в том, что Джереми, — она запнулась, подбирая нужное слово, — чудик. И потом, он даже не попытался отрицать тот факт, что именно он запечатлен на этой ленте. Это он повернулся, чтобы последовать за Амандой, это он получил условный срок за приставания к людям.

— Но вы оба намекаете, что он совершил куда более страшный проступок, — заметил Бакли.

Лори повернулась к отцу:

— Папа, Алекс прав в том, что, не имея надежных доказательств, мы не можем перепрыгивать к выводам.

— Так что ты намереваешься делать? — спросил ее друг. — Решать тебе.

— Папа, — неспешно проговорила Моран. — Скажи, согласно твоему опыту, может ли Джереми пуститься в бега или уничтожить свидетельства, если мы сейчас оставим его в покое?

Лео пожал плечами:

— Трудно сказать, но если этот парень не способен выбросить старые газеты, то едва ли он уничтожит снимки, которые хранил больше пяти лет. Тем более что этот дом скорее всего является его единственным достоянием. Он не из тех, кто способен вскочить на первый же самолет и зажить беглецом на противоположном краю света.

— Кстати, имей в виду, — напомнил Алекс подруге, — что, даже если этот Джереми кое-что знает об исчезновении Аманды, это отнюдь не означает, что он причастен к нему.

Лори кивнула:

— А как вам такой вариант? Что, если Джерри позвонит ему и попытается исправить положение? Он может сказать, что мы интересуемся всеми, кто был в те дни на территории «Гранд Виктории», и не намереваемся вторгаться в его личную жизнь. Это может успокоить его.

— Неплохая идея, — согласился Бакли.

— И потом, Алекс, никто из нас не собирается торопиться с выводами. Пока мы должны держать свой ум открытым, однако при этом не менее важно поджарить пятки всех и каждого. Снисхождения не должно быть ни к кому.

— А я и не собираюсь проявлять к кому-нибудь снисхождение, — блеснул глазами ведущий.

— Следующей у нас будет Меган. Дождаться не могу того момента, когда она начнет объяснять, каким образом сумела женить на себе жениха своей лучшей подруги, — проговорила Лори, вставая и направляясь к двери.

41

— Вы уже готовы, миссис Уайт? Мы настроили камеры на нынешний свет, а тени снаружи могут очень быстро меняться.

Меган Уайт подняла вверх один палец. Она охотно закончила бы прямо сейчас, если бы телефонный сигнал был сегодня получше. Сказав Джеффу, что она примет участие в этом жутком шоу, женщина полагала, что будет иметь достаточное количество пауз, чтобы иметь возможность договориться насчет работы. Но вместо этого ее вытащили сюда, повинуясь моменту, как будто нажатием кнопки она могла освободиться от всех своих дел.

Меган старалась связываться с клиентами по электронной почте, однако Wi-Fi в отеле был знаменит своей ненадежностью, поэтому она создала собственный канал, пользуясь горячей точкой своего мобильника. Из-за этого загрузка происходила медленнее. Ассистент режиссера — кажется, его зовут Джерри? — явно начинал нервничать. Уайт хотела сказать ему, что, если время настолько существенно, можно было бы провести съемки и внутри.

— Еще одну секунду, пожалуйста, — попросила она.

Когда загрузка, наконец, завершилась, Меган закрыла свой ноутбук и следом за Джерри направилась к ратановой мебели, которую Лори Моран расставила на променаде позади главного здания. Уайт с трудом подавила желание стереть с лица весь телевизионный макияж. Женщина, намазывавшая всей этой дрянью ее лицо, обещала, что на экране она будет выглядеть совершенно естественно, но самой Меган казалось, что на ее кожу наложили слой грязи. Она перестала сопротивляться, только когда гримерша сказала:

— Надеюсь, вы не хотите выглядеть на экране до предела утомленной или испуганной.

Конечно, Уайт была испугана, но выглядеть такової не хотела и потому попросила добавить чуточку румян.

Лори Моран, особа, докучавшая ей по телефону всю предшествующую неделю, держалась достаточно дружелюбно, однако Меган решила, что заметила нотку сарказма в голосе продюсерши, когда та сказала, что счастлива *наконец* встретиться с ней лично.

Еще более смущала Уайт перспектива общаться нос к носу с Алексом Бакли. Его умение проводить перекрестный допрос пользовалось широкой известностью.

После того как ее ноутбук был убран, у нее более не оставалось причин затягивать съемки.

«Ладно, — сказала она себе, — придется, наконец, пройти через это испытание, а потом мы с Джеффом сможем уехать домой и жить в покое до конца дней своих».

Закончив со вступлением, Алекс Бакли начал с того, что попросил Меган назвать начало своих взаимоотношений с Джеффом.

«Похоже, он не планирует предварительного мордобоя, — подумала Уайт, — а сразу вцепляется в глотку».

— Вы должны были понимать, что многие люди не одобрят ваших взаимоотношений после исчезновения Аманды — его невесты и вашей лучшей подруги, — добавил ведущий.

Меган сотни раз репетировала свой ответ на этот вопрос, но, оказавшись в данный момент на данном месте, обнаружила, что способна думать только об этих ярких прожекторах и глядящих на нее камерах. Она ведь так стремилась уклониться от подобного внимания!

Уайт постаралась вспомнить свой зазубренный и заготовленный заранее ответ:

— Начало наших взаимоотношений удивило и нас самих, Алекс.

— Все эти годы вы говорили людям, что именно вы заново познакомили Аманду и Джеффа.

— Совершенно верно. Это произошло в Бруклине, в кофейне. Аманда любила тамошние рогалики, — печальным тоном проговорила Меган.

— Однако вы не имели своей целью свести их, так ведь? — спросил Бакли полным сочувствия тоном. — Правильно ли будет считать, что Джеффа привел туда случай?

— Да, думаю так.

— А не проявляли ли вы романтического интереса к Джеффу еще в студенческие годы?

Женщина пожала плечами:

— Студенческие влюбленности — вещь неизбежная.

— Итак, вы были влюблены. И поэтому обрадовались, когда после юридического училища вы оба оказались в Нью-Йорке и он пригласил вас.

— Да, наверное, так.

— И это вы сказали ему, что не желаете больше встречаться с ним, или это он принял такое решение?

— Все обстояло совсем не так. Мы даже не обсуждали эту тему. Просто третьего свидания у нас так и не получилось.

— Потому что Джефф не пригласил вас?

— Ну да, конечно.

Меган понимала все следствия наступившей паузы. Шоу набрало очко за ее счет. Все эти годы она позволяла людям считать, что в отношениях Аманды и Джеффа сыграла роль купидона. И теперь все поймут истину? Все догадаются, что она давным-давно была влюблена в Джеффа? Что прорыдала несколько часов напролет, когда на следующей день после встречи в этой злосчастной кофейне Аманда позвонила ей и сказала, что Джефф пригласил ее отобедать вместе с ним? Меган сразу поняла, что проиграла свою подачу. Соперничать с Амандой было невозможно.

Впав в отчаяние, она попыталась восстать против своего мучителя.

А вам приходилось слышать о тоннельном зрении? — выпалила Уайт. — Позвольте объяснить. Так случается, когда следователь подозревает кого-то и рассматривает все свидетельства только в одном ключе. Я тоже могу взять кого-то из свадебных гостей и начать задавать вопросы. И это не значит, что кто-то из нас замешан в этом деле. Возьмем, например, Кейт. В ночь исчезновения Аманды она сказала, что выпила лишнего и поэтому отправляется к себе. Но когда я пошла проверять, как там она, ответа не было, хотя я барабанила в дверь. Утром Кейт объявила, что ничего не слышала, несмотря на то что обычно она просыпалась от малейшего шороха. В колледже она просыпалась, даже когда кому-то приходило в голову включить сидюшник за две комнаты от нашей. Известно ли мне, где была Кейт в ту ночь? Нет. Но имеет ли Кейт какое-то отношение к исчезновению Аманды? Клянусь собственной жизнью — не имеет. Вы хотите поводить всех нас за нос? Или пытаетесь выставить всех нас виновными?

Меган подумала, что высказала вроде бы важное соображение, но тут же поняла, что продюсеры всегда могут вырезать любой не понравившийся им кусок записи, и к тому времени, когда они закончат свое творческое вырезание, она может выглядеть как перешедшая к обороне дура.

Алекс же переключился на другую тему:

— Вы действительно угрожали Аманде судом за кражу вашей идеи?

Осуществлялись худшие опасения Меган. Впрочем, еще не *самые худшие*, однако она понимала, что разговор складывается не в ее пользу. Ее даже замутило — еще сильнее, чем вначале, на прошлой неделе. Каким вообще образом они сумели узнать об этой несчастной ссоре, случившейся в конторе «Ледиформ»? Уайт полагала, что исчезновение Аманды давным-давно отменило этот конфликт. Должно быть, проболталась Шарлотта. Эта особа не забывает обид.

— Я не *угрожала* ей, однако дала понять, что глубоко задета таким отношением, — заявила Меган. — Еще в колледже мы придумали способ сохранить в кармане свои ключи и айподы во время физкультурных занятий. Мы вшивали неопреновые кармашки в наши тренировочные костюмы. Они сохраняли содержимое сухим и удерживали его на месте. Кроме того, нам казалось, что получалось очень симпатично.

Так что когда я увидела в магазине ледиформовскую коллекцию «X-Dream», то расстроилась настолько, что отправилась в кабинет Аманды. Мы поспорили из-за того, кому принадлежала идея. Я считала, что идея моя, ну или, по крайней мере, общая. А она настаивала на том, что реальное воплощение принадлежит ей и компании. С моей точки зрения, если бы она не понимала, что поступает нехорошо, то заранее предупредила бы меня.

— Вы кричали так громко, что ваш голос слышали в вестибюле. Не прибавлял ли силы вашему гневу тот факт, что Аманда намеревается выйти замуж за по-прежнему интересовавшего вас мужчину?

Меган уже начинала сожалеть о том, что даже не попыталась отговорить Джеффа от приезда сюда. Ибо теперь она оказалась в ловушке. У нее не было теперь другого выхода, кроме как говорить.

— Действительно, наша ссора в ее кабинете оказалась излишне жаркой. Однако она позвонила мне на следующий день. Мы встретились за ланчем. Аманда рассказала мне о проделанной дизайнерской работе и об экспериментах, которые потребовались для того, чтобы превратить наш маленький трюк в прорывной продукт. Она извинилась за то, что не предупредила меня заранее, и я сказала ей, что она может уладить наши разногласия, оплатив бутылку превосходного шампанского, которую мы с ней распивали, и прислав мне бесплатную коробку разных моделей спортивных костюмов. — Уайт улыбнулась воспоминанию. — В итоге трагедия превратилась в мелкую ссору между двумя подругами. За тем же ланчем у нас состоялся разговор, к которому я всегда возвращаюсь. И именно по этой причине я действительно верю в то, что Аманда ушла из отеля по собственному желанию.

Алекс наклонился вперед. Меган оставалось только молиться о том, чтобы он поверил ей. Она никогда и никому, кроме Джеффа, не рассказывала об этом.

— Болезнь чрезвычайно изменила Аманду как человека, — продолжила она. — Она сказала мне, что впредь никогда не будет поступать, руководствуясь соображениями верности или долга. Она намеревалась теперь жить для себя. И именно по этой причине не учла мои интересы в отношении «X-Dream». В сердце своем она была уверена в том, что я не заслуживаю доли, и потому любой дележ со мной уменьшал ее собствсппое достижение.

— И каким образом это относится к ее исчезновению? — спросил Алекс.

— Она стала совершенно непохожей на ту Аманду, которую я знала до ее болезни. Теперь, задним числом, мне кажется, что она хотела сказать мне, что больше не будет хорошей девочкой. Хорошей дочерью. Доброй подругой. Хорошей женой. Она хотела свободы, она хотела власти, и она не ощущала никакой вины в том, что превратилась в сильную и независимую женщину. Однако она не могла позволить себе ничего в этом духе в обществе своих друзей, своей семьи и с учетом предстоящего брака.

— Друзья утверждают, что после ее исчезновения вы не казались настолько расстроенной, как все остальные. Почему вы никому не рассказывали об этом?

— Потом я рассказала об этом Джеффу. На мой взгляд, было неправильно говорить об этом кому-то еще. Получалось, что я словно бы осуждаю ее, утверждаю, будто болезнь сделала ее эгоистичной. Не страшно ли говорить такое? Но тогда я воспринимала случившееся иначе. Я была рада за нее. Я была рада тому, что она нашла способ начать новую жизнь. Вот почему я не ощутила вины, когда мы сблизились с Джеффом. Вам известно, что их с Амандой обручальные кольца исчезли?

Меган рассчитывала удивить Алекса, однако он был готов к этому вопросу:

— Да, Джефф рассказал мне, что отсутствие колец он заметил, только возвратившись в Нью-Йорк. Он признал, что невнимательно следил за тем, чтобы сейф в его номере был заперт, и считает, что кольца могли украсть служащие отеля.

Впервые после того, как она оказалась перед камерой, Меган почувствовала, что победа переходит к ней. Неужели они действительно считают, что кольца могли *случайно* исчезнуть вместе с невестой?

— Таких совпадений не бывает, — ответила она. — И я уверена в том, что любая проверка покажет, что кражи в этом отеле случаются чрезвычайно редко. Здесь прекрасные условия. И я не могу представить, чтобы здешние служащие могли пойти на такой риск.

— И какой же гипотезы вы придерживаетесь? — поинтересовался Бакли.

— Я всегда считала, что Аманда взяла их на память. Она могла стремиться начать новую жизнь, но Джеффа она любила. Но я люблю его больше, и это не преступление. — Уайт посмотрела прямо в объектив. — Аманда, я счастлива и надеюсь, что ты тоже.

Это было лучшее из того, что могла она сделать. И когда Джерри отцепил от ее воротника микрофон,

Меган показалось, что он снял с ее груди пудовую гирю. Ей хотелось домой. «Прошу тебя, Джефф, – подумала она про себя. – Давай поедем домой. Мне нужно кое-что рассказать тебе».

42

– Вы ей верите? Тогда я готова продать вам мост, сделанный из чистого золота. – Чтобы подчеркнуть свою уверенность, Грейс ткнула в воздух указательным пальчиком с наманикюренным ноготком, выкрашенным французским лаком.

Съемочная группа собралась в гостиной номера Алекса, чтобы заново прослушать его беседу с Меган. Это был первый случай, когда они начали съемки без того, чтобы до этого капитально обсудить тему.

Ассистенты Лори сильно разошлись в оценке произведенного Меган впечатления.

– Ты впала в цинизм, – объявил Клейн, обратившись к Гарсии. – Она показалась мне очень честным и откровенным человеком. Именно этого от нее и следовало ожидать, по словам брата и сестры Аманды. Меган – человек не эмоциональный и деловой. Все ее слова кажутся мне вполне достоверными.

Ожидая, пока Джерри закончит, Грейс, казалось, была готова выпрыгнуть из собственной кожи.

– Мог бы заметить, что она заучила наизусть каждое свое слово! И даже каждую паузу, – фыркнула она.

– Из этого не следует, что она лжет, – возразил Клейн.

– Нет, но это означает, что сама она твердо знает, что ей есть что скрывать. Единственный вопрос состоит в том, извлек ли Алекс из нее все возможное или мы можем еще кое-что узнать. Во всяком случае, эта женщина годами лгала о своих чувствах к Джеффу. Она не знакомила заново его с Амандой, тем более преднамеренно. На мой взгляд, она до сих пор жалеет о том, что все они случайно встретились в этом самом кафе. Не сомневаюсь в том, что она сохла по Джеффу еще в колледже. И возможно, именно поэтому оказалась в Нью-Йорке после юридической школы. И уж совершенно случайно устроилась жить в Бруклине, неподалеку от него!

Лори краем уха следила за разговором помощников, часто, впрочем, отвлекаясь на собственные мысли о Меган.

Алекс поправил очки в черной оправе, которые нацепил на нос, чтобы просмотреть собственные заметки.

— Я согласен с тобой, Грейс, в том, что она проявляла куда более сильный интерес к Джеффу до исчезновения Аманды, чем признала. Но я верю, что они с Амандой действительно уладили взаимоотношения после ссоры в конторе «Ледиформ».

— В самом деле? — спросила Гарсия. — Неужели можно отказаться от целой кучи денег за один ланч с шампанским и коробку спортивных костюмов?

— Если они по-прежнему враждовали, разве Меган могла бы остаться подругой невесты? — возразил Бакли и, помедлив, добавил: — А ты как думаешь, Лори? Кое-кто уже упоминал о болезни Аманды, однако мы впервые услышали, насколько болезнь действительно могла изменить ее характер.

Именно эту часть всего разговора Моран старательно прокручивала в своей голове. Манера, в которой Меган описала изменение, происшедшее в характере подруги, казалась ей совершенно искренней. Более того, именно в качестве старой знакомой она могла точнее подметить эту перемену, чем родные Аманды или даже ее жених. Лори впервые реально допустила возможность того, что пропавшая девушка решила вырваться на свободу. Возможно, она и в самом деле убежала, как полагала Уайт. Но что, если она сказала Джеффу, что не хочет никакой свадьбы? И если это произошло, съемочная группа оказывалась в том же самом месте, от которого начинала: то есть палец указывал на Джеффа.

— Эти пропавшие кольца, — вдруг произнесла продюсер. — Когда Джефф впервые упомянул о них, я не обратила на этот факт особенного внимания. Но Меган тонко подметила: нельзя считать простым совпадением то, что они исчезли в этом отеле. Джефф сказал, что подумал уже, что во время общего смятения их вытащил из сейфа кто-нибудь из служащих отеля, однако это был бы весьма опрометчивый поступок. Попасться с обручальными кольцами без вести пропавшей женщины — значит сделать себя первым подозреваемым в ее исчезновении.

— Кроме того, эти кольца не настолько дорого стоят, если сравнить их с теми драгоценностями, которые, наверное, хранят в своих сейфах другие постояльцы, — добавил Джерри. — Меган права: эти кольца имеют ценность больше в качестве сувенира, чем ценной добычи. До меня это дошло, когда Меган посмотрела в камеру и сказала, что любит Аманду. Ах, как было бы здорово, если бы после нашего шоу Аманда связалась со своими родственниками!

— О, боже! — проговорила Грейс. — И ты действительно купился на ее выдумку... заглотил наживку вместе с крючком, грузилом и леской!

«Прошло уже два съемочных дня, — подумала Лори, — а я ни на шаг не приблизилась к разгадке».

43

— Дедушка, поиграй с нами! — Тимми и еще четверо подростков были увлечены игрой в «Марко Поло»[1]. — Папа Джейка обещал, что сыграет с нами, если мы позовем еще одного взрослого.

Лео осмотрел прилегающее к бассейну пространство. Поймав на себе его взгляд, мужчина, уже разменявший пятый десяток, чуть заметно покачал головой с просительным выражением в глазах. Отец Джейка, как и предполагал дедушка Тимми, старался найти способ избежать возни с кучей детей в воде.

— Мне кажется, что в бассейне уже достаточно народа, — заметил Фэрли.

Ритмичные выкрики «Марко... Поло!» продолжились, и он, улыбнувшись себе под нос, сделал новый глоток «Пина колады»[2]. Лори не одобрит лишних калорий, однако он считал, что может позволить себе небольшой праздник.

Когда они с Тимми оставили номер Алекса, Лори, Джерри, Грейс и сам хозяин помещения еще препи-

---

[1] «Марко Поло» — нечто вроде жмурок в бассейне: водящий с закрытыми глазами выкрикивает «Марко», чтобы по обязательному отклику «Поло» засечь на слух местоположение игроков.

[2] «Пина Колада» — традиционный карибский алкогольный коктейль, содержащий ром, кокосовое молоко и ананасовый сок.

рались по поводу различных теорий, описывавших возможные варианты судьбы Аманды.

Однако Лео был близок к тому, чтобы закрыть дело. Чем дольше он думал на эту тему, тем точнее выходило, что им нужен как раз Джереми Кэрролл. Бывший полицейский ощущал ту самую, давно знакомую и приятную тяжесть под ложечкой, свидетельствующую о том, что искомая персона найдена. Обыкновенно поиски преступника заканчивались в течение двадцати четырех часов: то язык подведет супругу, то кто-нибудь из коллег жертвы не явится следующим утром на работу. Но когда ключ к делу находится в руках незаметной в жизни жертвы персоны — садовника, или рассыльного от бакалейщика, или практиканта, работающего у свадебного фотографа, — на его поиски могут уйти годы.

Джерри Клейн сказал, что его звонок Джереми прошел благополучно: тот принял извинения и как будто бы согласился с предложенным Джерри объяснением, гласящим, что утреннее посещение его дома было вполне обыкновенным визитом в справочных целях, неловко проведенным двумя переусердствовавшими волонтерами. Так что пока Кэрролл чувствует себя в безопасности, Лори и Алекс могут закончить свои собеседования со всеми остальными участниками шоу, а потом Лео уговорит свою дочь обратиться в местную полицию со всеми известными им фактами. Он уже подумывал, не попросить ли офицера, осуществляющего надзор за Джереми, обыскать его дом. Если там обнаружатся фото Аманды — а в этом Фэрли не сомневался, — то, даже располагая ими одними, хороший детектив может добиться признания.

Лео ощущал, как забилась в нем старая полицейская жилка. Он уже представлял, как сойдутся вместе все детали обновленного расследования. Бывший полицейский ничуть не жалел о том, что помог дочери воспитывать внука, однако никогда не переставал тосковать по прежней работе.

«Теперь, когда Тимми стал постарше, — подумал он, — можно подумать о деятельности частного детектива. Я ведь умею заниматься такими делами». Лео закрыл глаза и ощутил прикосновение теплых солнечных лучей к своему лицу. Мысли его уклонились в сторону, и он вспомнил, что Лори рассказывала ему, как Аманда устроила молитвенное бдение по убитой в их колледже девушке. Интересно, был ли тогда найден убийца? Что, если этот случай станет следующим висячим делом в программе Лори?

Запустив руку в пляжную сумку Тимми, Лео извлек из нее свой айпад и соединился с гостиничным вай-фаем. Имени убитой он не помнил, а потому вбил в поисковую строку слова «пропавшая студентка колледжа Колби».

Звали эту двадцатилетнюю второкурсницу Карли Романо, и ко времени своего исчезновения она была на год младше Аманды и ее подруг. Девушка эта была родом из Мичигана, и в последний раз ее видели на пикнике за пределами кампуса. Как и с кем уходила Карли с этого пикника, не видел никто, однако предполагали, что она решила вернуться в кампус одна. Она считалась пропавшей две недели, после чего ее труп со следами удушения выловили в озере Мессалонски.

Лео поглядел в сторону бассейна, проверяя, все ли в порядке с Тимми. Он нисколько не сомневался в том, что мальчишки способны резвиться в бассейне до тех пор, пока не попадают с ног от усталости.

Затем он продолжал перебирать полученные результаты. Насколько можно было судить, полиция тогда никого не арестовала и даже не смогла кого-то заподозрить.

Обнаружив телефонный номер отделения полиции в городе Уотервилль, штат Мэн, где был расположен колледж Колби, Фэрли отослал его по почте себе самому вместе с именем Карли Романо. «Пусть я пока не готов еще открывать собственное детективное бюро, — подумал он, — однако это не значит, что я не могу сейчас начать свое собственное независимое расследование».

44

— Мы действительно позволим им пить виски во время интервью? — Джерри аккуратно устраивал барную стойку в коктейльном зале.

Расположенные под правильным углом камеры смогут одновременно показать темное дерево стойки и пальмы, а также солнечный свет за ними.

— Поверь мне, — сказала Лори. — Именно здесь Ник и Остин будут чувствовать себя как дома. А для этого важно, чтобы они не были лишены своего любимого занятия.

Продюсер решила беседовать с обоими друзьями одновременно. Каждый из них как бы раскрывался в обществе приятеля, что, в общем, и было ей нужно. В отношении их гардероба сама Лори не смогла бы подобрать ничего лучшего. Оба явились на съемки в светло-коричневых летних костюмах и ярких голубых рубашках с отложными воротниками. Единственное различие между ними заключалось в крое карманов. И хотя одежда их выглядела почти одинаково, ничего похожего в этих парнях не было. Ник казался удивительно симпатичным и элегантным: он принадлежал к числу тех мужчин, на которых костюм сидит как надо. Остин же выглядел в лучшем случае посредственно, учитывая намечающееся брюшко. Безупречно пошитый костюм ничем не улучшал впечатление. Моран вспомнила, как мать одной из ее подруг прокомментировала внешность кавалера своей дочери: «Ему неуютно в костюме «Пол Стюарт»».

— Давайте сразу приступим к делу, — проговорил Алекс после того, как была включена запись. — По всем статьям вы оба являетесь успешными и свободными холостяками. Даже ассистентка, работающая у нас в программе, утверждает, что вы начинаете флиртовать со всеми встреченными женщинами. Говорят, масть к масти подбирается. Так был ли ваш друг Джефф готов остепениться в обществе Аманды?

Лори не удивилась, когда ответ взял на себя Ник Янг. В этой паре он, безусловно, являлся альфа-самцом.

— Абсолютно и полностью, — без малейшего сомнения ответил он. — Мы с Джеффом были неразлучны с того момента, когда оказались в колледже соседями по комнате, однако он никогда не был вторым пилотом.

— Не изволите ли вы объяснить нашим зрителям, что именно означает эта фраза? — попросил ведущий.

— Ну да, конечно, — кивнул Ник, и они с Остином обменялись веселыми взглядами. — Приятель, который страхует тебя, когда ты говоришь с девушкой. Так сказать, охотится с тобой вместе.

Моран хотелось начисто вырезать обоих из передачи. Неудивительно, что она старалась избегать таких свиданий.

— Но Джефф был не таким? — спросил Алекс.

— Определенно, — успел вставить слово Остин Пратт. — В колледже его интересовала только учеба. Зависал, как привило, в компаниях.

— А потом, когда он стал адвокатом в Нью-Йорке?

Пратт явно не знал ответа на этот вопрос. Ник был ближе знаком с Джеффом, так что отвечать снова стал он:

— Джефф иногда ходил на свидания, но ничего серьезного у него не было. Это у меня на какое-то время завязались серьезные отношения...

— С Мелиссой, — напомнил Остин. — Но это было недолго.

— Да, верно, — подтвердил его друг. — Я совершил ошибку на мальчишнике у своего приятеля. Мелисса узнала об этом — и привет! Я не стал снова искать отношений, однако в отличие от *кое-кого* попробовал хоть разок. В любом случае, как только Джефф начал встречаться с Амандой, он ни о ком больше уже не говорил.

— А им случалось сходиться и расходиться? — поинтересовался Бакли.

— Поначалу — да, — пояснил Ник. — Иногда то у него, то у нее было настолько много дел, что взаимоотношения волей-неволей отходили на второе место. Но, черт, как только они начали встречаться по-настоящему, когда Аманда заболела, он проводил с ней каждую свободную минуту. Когда она сказала ему, что заболела раком, он на следующий день предложил ей жениться на ней.

— А как было после того, как она заболела? — спросил Алекс. — Вы видели, чтобы они ссорились?

— Ссорились, как и любая другая пара, — проговорил Остин, — однако он никогда не поднял бы на нее руку.

Янг бросил на друга полный неодобрения взгляд.

— Поверьте мне: что бы ни произошло с Амандой, Джефф не имеет к этому никакого отношения. Ее исчезновение буквально раздавило его.

— До тех пор пока он не сошелся с Меган, — заметил Бакли.

Лицо Ника вспыхнуло гневом.

— Это нечестно. Неужели парню следовало уйти в монахи до конца дней своих? Стоит ли удивляться тому, что он связал свою жизнь с человеком, которого Аманда любила и уважала?

— Вам придется простить Ника, — заметил Пратт. — Он всегда свирепеет, когда нападают на Джеффа.

Лори показалось, что она заметила в голосе Остина ревнивую ноту.

— Идем дальше: вы оба говорили, что в последний раз видели Аманду около пяти часов вечера, — снова заговорил ведущий. — После того как фотограф отснял групповые снимки.

Оба молодых человека подтвердили время, названное ими полиции. После фотосессии они провели час в баре, а потом разошлись по комнатам. Позже, незадолго до восьми встретились в вестибюле и отправились в «Стейк и плавник» на обед, закончившийся около десяти. Генри сразу же вернулся в отель, а они задержались, чтобы выпить. Затем последовала рюмашка на ночь в номере Джеффа, и все улеглись спать около одиннадцати.

— Насколько можно судить, вы вернулись в отель примерно в то же самое время, что и Аманда вместе с подружками. Не пересеклись ли ваши пути? — уточнил Бакли.

Ник покачал головой:

— Нет, я не видел Аманду после фотосеанса.

Остин дал такой же ответ.

Лори внимательно прислушалась к голосу Алекса, словно молотком вбивавшему все новые вопросы:

— Итак, вы, два холостяка, два любителя повеселиться, оставили номер Джеффа и в одиннадцать улеглись спать. Не рано ли для вас обоих?

— Мы легли поздно в предшествовавшую ночь. Да еще провели весь день на солнце и крепко выпили: до обеда, за обедом, после обеда и в номере Джеффа. — Янг повернулся к своему приятелю. — Не знаю, как ты, но я был уже хорош.

Остин, как обычно, немедленно согласился:

— С меня тоже было довольно. Я отправился прямо в свой номер и в постель.

— Хорошо, вернемся к тому моменту, когда вы находились в обществе Джеффа в его номере. Вы уже говорили мне, что он высказывал некие опасения в отношении брака с Амандой. Как он выразил эту мысль?

— Я в порядке шутки спросил у него, не собирается ли он взять ноги в руки, — проговорил Ник. — И оба мы с удивлением услышали: «Да».

— И что он сказал после этого?

На этот раз ответил Пратт:

— Джефф сказал, что Аманда хочет, чтобы он сменил место работы. Что он слишком хороший адвокат, чтобы понапрасну терять свое время и за гроши работать в службе государственного защитника. Он ответил ей, что ему нравится быть защитником и помогать людям и что он действительно хорошо делает это.

— И как вы отреагировали на эти слова? — спросил Алекс.

— Мы высмеяли его, — проговорил Янг. — Я сказал, раз уж решил жениться, то терпи: она точно захочет распоряжаться твоей жизнью.

— И как это воспринял Джефф?

— Он смеялся вместе с нами, — продолжил Ник. — Однако у нас обоих возникло впечатление, что он пожалел о том, что сказал эти слова. После этого мы пожелали друг другу спокойной ночи и отправились в свои номера.

— Итак, вы разошлись по комнатам в одиннадцать часов и утверждаете, что не выходили из них всю ночь. Правильно?

— Да, — ответили оба парня.

— И кромс того, насколько вам известно, Джефф также не собирался выходить из своего номера после одиннадцати?

— Именно так. — Друзья снова заговорили одновременно.

— Не разрешите ли вы в таком случае сказать, что у вас нет свидетеля, способного подтвердить, что вы оставались в своих номерах всю ночь после одиннадцати часов — того времени, когда люди в последний раз видели Аманду?

Лицо Остина вспыхнуло гневом.

— Да уж, нет.

Ник кивнул, соглашаясь.

— Было ли вам тогда известно, что в своем завещании Аманда оставила Джеффу свой трастовый фонд размером в два миллиона долларов?

— Мы узнали об этом только после ее исчезновения, — сказал Янг.

— Как вы считаете, Аманда могла сообщить Джеффу о своем решении?

Приятели переглянулись.

— Это вполне возможно, — спокойным голосом сказал Остин.

Лори видела, что оба они отчаянно хотели поручиться за своего друга, однако не могли этого сделать. Обойти этот факт было просто невозможно: исчезновение Аманды сулило наибольшую выгоду именно Джеффу.

45

— Мама, эти леди вон там пьют голубой «Мартини». — Тимми указал на группу из четырех женщин, бокалы которых наполнял напиток, цветом издали напоминавший жидкость для мытья посуды. — А ты такой не пьешь. Ты любишь сухой «Мартини».

Глаза Алекса Бакли весело блеснули за стеклами очков.

— Привычки своей мамы Тимми знает уже наизусть.

Лори и Алекс отменили совместно запланированный обед в ресторане с тремя звездами от «Мишлен»[1], поскольку Тимми запросился в имевшийся

[1] Три звезды от «Мишлен» — наивысшая оценка в самом знаменитом ресторанном путеводителе — «Красном гиде», издающемся одной из крупнейших шинных компаний мира.

при отеле ресторанчик суши. Лео не мог даже помыслить о том, чтобы есть сырую рыбу. *Морскую слизь*, как он выразился.

Тимми, со своей стороны, оказался более отважным экспериментатором по части здешнего меню, чем его мать. Впрочем, она подозревала, что интерес ее сына к этому конкретному заведению вызван не столько яствами, сколько двумя Г-образными стойками бара в виде аквариумов с рыбами.

Алекс уже намеревался расплатиться, когда Тимми попросил разрешения посидеть возле бара.

— Вы всегда говорите, что нужно пробовать новое, — выдвинул он в качестве аргумента. — А вот дома у нас ничего похожего нет.

Но Бакли пришлось огорчить молодого человека:

— Маловаты вы пока для баров, юноша. Придется еще потерпеть лет двенадцать.

— Необязательно же быть взрослым для того, чтобы сидеть в баре!

— Как приятно матери слышать подобные речи, — сухо проговорила Лори. — Мне вовсе не нужно, чтобы он вырос таким же завсегдатаем баров, как Остин и Ник.

Как только они оказались за столом, Алекс спросил:

— Кстати, о паре наших Ромео — что ты сумела извлечь из сегодняшнего разговора с ними?

Женщина пожала плечами.

— Они оказались в точности такими, какими их описывала Сандра. Лично на меня их обаяние не действует, но я уверена в том, что Бретт будет доволен. Во всяком случае, они хорошо смотрятся на телеэкране.

— Ну и бог с ними, с этой парой, — вздохнул Алекс. — Итак, Лео уже убежден в причастности стажера-фотографа к этому делу?

Учитывая отсутствие новых фактов, Моран не хотелось бы заново возвращаться к этой теме.

— Я знаю, что ты считаешь, что он рано переходит к выводам, — сказала она. — Наверное, нам стоит пока отодвинуть эту линию на второй план.

Потом, уже в вестибюле, Тимми попросился ночевать в комнате деда. Лори была рада, что получает возможность провести больше времени в обществе Алекса.

46

На следующее утро Моран испытала истинное потрясение, когда Шарлотта Пирс появилась на устроенной позади отеля съемочной площадке. На ней был безупречно пошитый белый костюм и черная шелковая блузка. Прическа и макияж ее в точности соответствовали всем требованиям съемки. Перед продюсером была совсем не та женщина, с которой она познакомилась в офисе компании «Ледиформ».

— Не стоит так удивляться, — проговорила Шарлотта, удобно устраиваясь на двухместном диване, который вынесли на улицу для подобной оказии. — Неужели вы думали, что я предстану на национальном телеэкране каким-нибудь гадким утенком?

Занявший свое место Алекс кивнул, и камеры заработали. Через пять минут Лори посмотрела на часы. За это короткое время мисс Пирс успела выложить всю информацию, которую сообщила Моран во время их встречи в Нью-Йорке. Как деловая женщина, она умела говорить сжато и точно.

Однако часть таланта Бакли заключалась в умении подбрасывать своим собеседникам абсолютно неожиданные вопросы.

— Ну и как жилось сестре Аманды Пирс? — спросил он непринужденным тоном.

— Не понимаю, что вы хотите этим сказать, — отозвалась Шарлотта. — С тем же успехом можно было бы спросить, каково мне было дышать. Другой сестры у меня не было.

— Однако я чувствую в вас женщину, способную в самом деле объяснить, как ей дышится, если последует такой вопрос.

Шарлотта криво усмехнулась. Лори едва ли не слышала наяву ее внутренний монолог.

— Отлично, — заявила сестра Аманды. — Как сорняку, растущему рядом с розой. В любой другой семье я была бы суперзвездой. Я окончила университет Северной Каролины одной из лучших. Я мила и умна. Я усердна и старательна. Но Аманда была совершенно особенной. Мужчины предлагали ей руку и сердце, женщины стремились подружиться с ней. Она умела нравиться людям.

— Друзья Джеффа почувствовали, что эта свадьба не доставляет вам особого удовольствия. Один из них сказал, что вы *не интересовались* ею, — сообщил комментатор.

— Ну, во-первых, — отмахнулась Шарлотта, — друзья Джеффа — попросту идиоты. Во-вторых, при чем тут вообще интерес? Я была обеспокоена, но не судьбой Аманды. На мой взгляд, ошибку совершал как раз Джефф. Я любила свою сестру и, наверное, одна по-настоящему понимала ее. Внешне она казалась сказочной принцессой, которой расчесывают волосы синие птицы. Однако она была хитра. И честолюбива. В этом нет ничего плохого, но она скрывала свою суть за безупречным, кротким и милым фасадом.

Данная Шарлоттой характеристика пропавшей сестры невольно заворожила Лори своей полной искренностью.

— Так почему вы были так озабочены судьбой Джеффа? — спросил Алекс.

— Потому что он не имел ни малейшего представления о том, во что ввязывается. Они только что начали встречаться, и Аманда почти сразу же после этого заболела... и очень ослабела, — печальным голосом добавила Пирс. — Это был единственный момент в ее жизни, когда она сделалась уязвимой, но, как бы то ни было, перенесенное испытание только закалило ее. Могу сказать вам следующее: Аманда намеревалась переделать Джеффа по своему вкусу. Изменить его таким же образом, как она изменила «Ледиформ». Должность государственного защитника никак не соответствовала ее представлению об успешном муже.

Бакли наклонился к Шарлотте:

— Итак, вы подозреваете Джеффа Хантера в исчезновении вашей сестры?

Мисс Пирс немного помолчала, прежде чем ответить.

— Это зависит...

— От чего же?

— От того, успел ли он уже понять, что, женившись на Аманде, навсегда останется у нее под каблуком, как я.

47

Лео Фэрли проснулся, чувствуя себя полностью отдохнувшим. «Какая великолепная кровать!» — подумал он. После смерти Эйлин прошло уже десять лет, и все это время ему приходилось спать только в собственной постели или в гостиной квартиры дочери — если не считать тех случаев, когда он путешествовал вместе с ней. У него мелькнула мысль, что неплохо бы, наверное, купить новый матрас. Быть может, придется подумать об этом, когда они вернутся в Нью-Йорк.

Затем Лео посмотрел на часы. Десять утра. Под дверью, соединявшей его комнату с комнатой Лори и Тимми, белела записка. Нагибаясь к ней, он почувствовал, как ноют сухожилия. В свои шестьдесят четыре бывший полицейский находился в неплохой форме, хотя и нуждался в доброй растяжке. «*Подумала, что вам двоим лучше поспать подольше*», — было написано на листке бумаги.

Тимми понемногу взрослел и, если ему не мешали, мог проспать до полудня.

Подойдя к небольшому столу в углу комнаты, Лео открыл ноутбук, подаренный ему Лори по случаю дня рождения, и запустил браузер. Можно потратить несколько минут на любимый проект, прежде чем будить внука к позднему завтраку. Орудуя двумя пальцами, он набрал *facebook.com* в поисковой строке. Это Грейс учила его «шарить в Сети», как она сама выражалась. Когда Фэрли работал, собирать нужную информацию приходилось, топая по городу и стуча в двери. Теперь же люди вывешивали в социальных сетях полные описания своей жизни, включая то, что ели на завтрак.

Мужчина набрал «Карли Романо» в поиске Фейсбука. Недавно он прочел, что среди родственников и друзей становится все более модным поддерживать странички умерших, чтобы живым было куда постить воспоминания. Так что он без труда нашел нужную страницу и увидел, что последнюю запись на ней сделала два месяца назад Джина Романо: «*С днем рождения, сестричка. Я тебя помню. Целую-обнимаю*».

Фэрли позвонил в полицию Уотервилля, и там подтвердили, что дело Карли по-прежнему остается нераскрытым. По словам детектива, с которым он разговаривал, основным подозреваемым являлся парень, учившийся с ней в старших классах еще в Мичигане.

На первом курсе они решили пожить вместе, однако на второй год Карли разорвала эту связь и вернулась в кампус. Такое решение парня не обрадовало. Однако полиция не нашла оснований возбуждать против него дело.

Явно подходит для шоу Лори.

Лео начал листать фотографии в профиле Карли, разыскивая снимок этого парня. Он посмотрел на даты... Поиск еще не вывел его в школьные годы. Надо было пролистать побольше назад.

Бывший полицейский не мог не заметить, что Карли Романо выглядела оживленной и счастливой на каждом снимке. Везде ее большие карие глаза улыбались из-под пышной каштановой шевелюры. И сама она улыбалась почти постоянно. Он листал фото настолько быстро, что едва не пропустил знакомое лицо.

Лео вернул назад две последние страницы. Подпись под снимком гласила: «Диджей Найт в Боб-

Ин!» Карли смотрела прямо в камеру, и сидевший рядом с девушкой молодой человек обнимал ее за плечи. На снимке он моложе, подумал про себя Фэрли, однако это точно он. Несколько моложе, но вполне узнаваем. Лео заметил его лицо еще на двух снимках, снятых в интервале нескольких дней от первого.

Переключившись на свою электронную почту, он вывел на экран программу съемок, которую Джерри разослал всем перед поездкой. В девять утра Алекс интервьюировал Шарлотту во дворе позади отеля, а в десять тридцать ее должна была сменить Кейт. Если он поторопится, то в перерыве сможет застать Лори.

Лео дождался мгновения, когда Шарлотта Пирс оставила съемочную площадку. Увидев отца, Лори улыбнулась, однако буквально через мгновение лицо ее исказил страх.

— Папа, а где Тимми?

— С ним все в порядке. Я разбудил его, и в данный момент он в твоей комнате готовится к завтраку, — заверил ее Фэрли. Пять лет их жизнь омрачали слова киллера, пообещавшего однажды вернуться и разделаться с Лори и ее сыном. Подобную угрозу забыть нелегко. — Мне кажется, что Алекс действительно был прав, когда сказал, что я слишком тороплюсь со своим выводом в отношении Джереми Кэрролла. Посмотри-ка сюда!

Бывший полицейский раскрыл перед дочерью экран ноутбука.

Лори открыла рот от удивления.

— Это же... Боже мой, это действительно он!

Лео показал ей два других снимка.

— Рука его лежит на ее плече. И посмотри, как он смотрит на нее на этом фото. Похоже, что Джефф встречался с Карли Романо. И Аманда, возможно, не первая его жертва.

48

Джерри помахал рукой в направлении Лори.

— У тебя все в порядке? Мы готовы начинать.

Они собирались интервьюировать Шарлотту Пирс и Кейт Фултон без перерыва, одну за другой.

— Подожди-ка, — попросила Моран и, повернувшись к отцу, сказала: — Папа, давай-ка пока умолчим о твоем открытии. Если Джеффу станет известно, что мы обнаружили его связь с Карли, он может запаниковать. Разговор с ним намечен на сегодня, но позже.

Лео кивнул:

— Согласен.

Лори подошла к площадке, спокойно улыбнулась Кейт и сказала, что до начала ей нужно обменяться несколькими словами с Алексом.

Бакли достаточно хорошо знал ее, чтобы понять: случилось нечто неожиданное. Они отошли подальше, чтобы их никто не мог услышать.

— Помнишь, я говорила тебе о девушке Карли, которую убили возле кампуса, когда все они учились в колледже? — спросила продюсер.

Ее друг кивнул.

— Папа отыскал в сети фотографии Джеффа и Карли. Похоже на то, что они встречались.

— Но как случилось, что об этом никто не сказал? — быстро спросил Алекс.

Лори пожала плечами: она тоже все еще пыталась переварить эту информацию.

— Девушки, вероятно, не знали. Кейт говорила, что они не дружили с Карли и тогда еще не водили знакомства с Джеффом. Однако приятели его должны были знать.

— Не спросить ли мне об этом у Кейт? Или лучше подождать до того мгновения, когда перед камерой предстанет он сам?

— Нет, не надо пока этого спрашивать. Я хочу, чтобы мы застали потом Джеффа врасплох.

Грейс уже шествовала к ним — невозможно короткая мини-юбка практически полностью открывала ее загорелые ноги.

— Чем это мы тут заняты? Я сказала Джерри, чтобы он успокоился, но вы чем-то встревожены.

Гарсия обладала немыслимой способностью читать эмоции Лори.

— Мы в полной готовности, — уверенным тоном проговорил Алекс, прежде чем пожать руку продюсеру.

«Не волнуйся: Алекс отличный профессионал», — напомнила себе Моран. Он разрулит ситуацию.

— Итак, Кейт, вы говорили, что Аманда высказывала вам некоторые сомнения в отношении будущего брака. Не можете ли вы воспроизвести, что именно она говорила? — задал Бакли первый целенаправленный вопрос.

Кейт Фултон прикусила губу, явно задумавшись.

— Не могу сказать, что помню каждое слово, однако мы были одни в бассейне, и она спросила — не кажется ли мне, что я вышла замуж чересчур рано.

Ей хотелось узнать, не сожалею ли я о том, что не смогла вкусить вольной жизни во всей ее полноте — примерно так. Она даже спросила меня: не казалось ли мне перед свадьбой, что уже слишком поздно отказываться?

— Это скорее похоже на признаки предсвадебного волнения, — заметил Алекс. — А не говорила ли она о том, что готова отменить собственную свадьбу?

— Ну, так прямо, что *хочет* отменить ее, конечно, не говорила, и все же я помню, что она спросила: насколько плохо будет выглядеть, если она откажется от свадьбы в самый последний момент? Я ответила ей, что волнение пред свадьбой — дело обычное, однако не стоит соглашаться идти под венец только для того, чтобы не расстроить других людей.

— Если это действительно так, Кейт, значит, вы являетесь единственным человеком, которому Аманда открыто призналась в своих сомнениях. Простите мне эти слова, но не была ли Меган ей более близкой подругой? В конце концов, именно она была свидетельницей. Почему же Аманда в таком случае не открыла свои сомнения ей?

Фултон пожала плечами:

— Возможно, потому, что Меган дружила также и с Джеффом? Она могла побояться, что Меган расскажет ему.

— А вы уверены в том, что такое объяснение может оказаться единственным? — настаивал ведущий. — Меган доказывала нам, что они с Амандой были чрезвычайно дружны. В таком случае разве не поверила бы она Меган свои сомнения по столь важному поводу?

Кейт кашлянула.

— Вполне может быть, что за прошедшие годы я сама проговорилась о том, что да, действительно не раз подумывала, что и впрямь слишком рано вышла замуж. Что не раз пыталась представить себе, как сложилась бы моя жизнь, если бы я какое-то время пожила незамужней особой. Но когда она спросила, действительно ли я люблю своего мужа и детей, я ответила: «Разве я могу сожалеть, что они есть у меня?» Так что позже, когда уже я спросила, действительно ли она подумывает о том, чтобы не выходить за Джеффа, она ответила несколько уклончиво.

— Как так? — спросил Алекс.

Лори наклонилась вперед, чтобы не пропустить ни единого нюанса в выражении лица и в словах подруги Аманды.

— Она ответила, что произошло нечто такое — в подробности она не стала вдаваться, — что теперь ей надо бы осмотреться пообстоятельнее, что-то выяснить, прежде чем принять окончательное решение.

— И что же ей хотелось выяснить?

— Не имею представления. Это все, что она сказала.

— Это было как-то связано с Джеффом? — предположил Бакли. — Намеревалась ли она поговорить с ним?

— Честно скажу вам: не знаю, — ответила Кейт.

Алекс повернулся и поглядел на Лори, желая понять, следует ли еще надавить на собеседницу. Продюсер отрицательно качнула головой, советуя не продолжать. Она не хотела, чтобы Кейт могла намекнуть Джеффу на то, что они все больше и больше подозревают его.

Бакли уже завершал разговор, когда Лори увидела, что Сандра Пирс быстрыми шагами идет к вестибюлю отеля с платком в руке, а следом за ней спешит ее муж. С чего бы это?

Через несколько секунд из той же двери появился Генри, брат Аманды, который побежал к Моран.

— Мама попросила меня найти вас. Из полиции сообщили, что они нашли тело и думают, что это тело Аманды.

49

Следователя звали Марлин Хенсон. Лори помнила, что Сандра упомянула это имя, когда впервые попала в ее кабинет. Дама эта оказалась невысокой — едва пяти футов роста[1] — рыжеволосой и круглолицей. Она стояла, широко расставив ноги, несокрушимая, словно маленький танк.

— Сандра, вы уверены в том, что эта информация должна остаться известной исключительно кругу вашей семьи? — спросила она, и Лори подметила следы южного акцента в ее голосе.

Вся семья Пирсов собралась в гостиной номера Уолтера. Моран и Алекс стояли рядом возле двери, и внезапно продюсер ощутила, что взгляды всех остальных обратились к ним. Они были здесь чужими.

— Я хочу, чтобы Лори и Алекс присутствовали при нашем разговоре, — подтвердила миссис Пирс. — Их шоу стало причиной, по которой мы, возможно, наконец-то нашли Аманду. Я уверена в том, что они всецело настроены на помощь нам.

---

[1] Примерно 152 см.

— Однако они еще и репортеры, Сандра, — напомнила ей следователь. — Есть такие вещи, которые мы не можем открыть для публики, не угрожая тем самым расследованию.

— Мы не обыкновенные репортеры, — проговорила Лори. — Все сказанное в этой комнате останется между нами. Даю вам слово.

— И в отличие от полиции, — добавил Алекс, — мы заключили со всеми участниками нашей программы соглашение, предусматривающее, что они будут общаться с нами исключительно на добровольной основе. Никаких арестов, никакого предупреждения Миранды[1]. Так удобнее.

Детектив Хенсон еще раз посмотрела на Сандру и удовлетворилась ее словами. Глаза миссис Пирс покраснели и опухли от слез, однако она была готова выслушать все подробности. Уолтер обнял ее за плечи.

Удивительно спокойным голосом Сандра спросила:

— Вы уверены в том, что обнаружили останки именно моей дочери?

— Позвольте мне пояснить вам цепь событий, которые сегодня привели нас сюда, — принялась рассказывать Марлин. — Вчера вечером, за несколько минут до полуночи в участок позвонили. Звонивший говорил в какую-то тряпку. В данный момент мы даже не уверены в том, мужчина звонил или женщина. Аноним предоставил нам конкретную информацию о том, где нужно искать тело вашей дочери. Конечно, мы попытались установить, с какого аппарата зво-

---

[1] Предупреждение Миранды — обязательно зачитывающиеся при аресте права.

нили, но звонок был сделан с дешевого мобильника, который можно купить и тут же выбросить.

Уолтер прикусил губу.

— Это случилось больше двенадцати часов назад. Почему никто даже не подумал связаться с нами?

— Мы хотели сначала провести расследование. И я не хотела беспокоить вас, потому что информация могла оказаться ложной. Однако мы немедленно отреагировали на звонок. По адресу, который назвал звонивший, оказалась автостоянка напротив церкви Святого Эдуарда, расположенной в двух милях отсюда. Мы проверили архив: оказалось, что стоянку заново асфальтировали как раз тогда, когда исчезла ваша дочь. Указания насчет того, где искать тело, были чрезвычайно конкретными. У нас был с собой георадар — но дело происходило глубокой ночью. Как только рассвело, мы произвели раскопки по показаниям прибора и нашли останки именно там, где было указано. Мы произведем все необходимые исследования для того, чтобы подтвердить их принадлежность вашей дочери, однако вот что мы обнаружили на ее левом безымянном пальце.

Детектив Хенсон вручила Сандре фото двух платиновых колец: классического перстня для помолвки с бриллиантом в стиле «Тиффани» и парного ему обручального кольца. Они были запачканы грязью.

— Да, наверное, кольца ее, — сказала миссис Пирс. — На кольце для помолвки было выгравировано «А» и «Дж»...

Следователь закончила фразу одновременно с ней:

— ...*Semper ametemus*.

— На латыни это значит «Всегда будем любить», — пояснила Сандра, подавляя рыдание. — Да, это наша дочь. Это моя девочка. Это Аманда.

Уолтер обнял ее обеими руками, и она припала к его плечу.

— Мне очень горько передавать вам такое известие, — негромко проговорила Марлин. — Теперь вам лучше побыть в одиночестве. Всегда надеялась на то, что дело кончится иначе.

50

По пути к лифту Лори попросила Хенсон уделить ей пару минут.

— Следователь, я хочу сообщить вам о том обручальном кольце, которое вы обнаружили на теле Аманды. Джефф сказал, что пропажу колец обнаружил только после возвращения в Нью-Йорк. Он сказал, что был настолько угнетен исчезновением Аманды, что даже не заметил их отсутствия в багажс.

— Меня смутило то, что она надела обручальное кольцо еще до того, как вышла замуж, — заметила Марлин.

— Она могла считать иначе, — проговорил Алекс. — И вот в чем вопрос: предполагалось, что кольца до совершения брачной церемонии находились в сейфе в номере Джеффа. А одна из подруг Аманды только что поведала, что погибшая испытывала некоторые колебания в отношении брака. Аманда сказала, что возник какой-то фактор, который ей следовало учесть до того, как принимать решение в отношении свадьбы.

Детектив Хенсон приподняла бровь.

— Что ж, это, безусловно, интересно. Сандра уже рассказала мне о завещании. Теперь, когда мы нашли и ее останки, у Джеффа появится возможность получить деньги, не привлекая к себе внимания... Для этого ему нужно просто обратиться в суд с просьбой объявить ее юридически мертвой.

Лори увидела, как складываются вместе куски головоломки:

— Если после этих двух вечеринок в ту ночь Аманда заходила в номер Джеффа, она могла решить примерить свое кольцо — опробовать, как оно будет сидеть на пальце. А если она передумала и решила отменить свадьбу, то могла завязаться драка. Джефф мог убить ее и закопать тело, даже не вспомнив про кольца.

Алекс, как всегда, шаг за шагом следовал цепи сделанных Моран умозаключений:

— И когда, уже в Нью-Йорке, он осознал эту ошибку, заполнение страховой декларации на украденные кольца могло бы стать способом прикрыть пропажу ее обручального кольца. Однако такого заявления он не подавал.

Следователь улыбнулась:

— Ценная информация, но предоставьте полиции возможность делать свое дело.

— Вы в этом уверены, детектив? — быстро спросил Бакли. — Дело в том, что через полчаса мы собираемся допросить вашего подозреваемого номер один, который пока не имеет представления о том, что вы обнаружили останки Аманды с кольцом на пальце. Среди прочего, будьте уверены, я спрошу его и об этом.

51

Джефф Хантер превосходно выглядел в своем светло-коричневом летнем костюме при галстуке-бабочке в клетку. Его просили одеться примерно так, как он намеревался нарядиться на свадьбу. Он показывал Алексу прибрежную беседку, в которой они с Амандой собирались принести брачные обеты перед своими родственниками и ближайшими из друзей.

— Действительно, прекрасная обстановка, — согласился ведущий. — Однако не могу не поинтересоваться причиной, заставившей вас выбрать столь неожиданную в данной ситуации обувь.

Один из операторов немедленно шагнул вперед, запечатлевая сандалии Джеффа с помощью ручной видеокамеры.

— Аманде понравилась мысль расписаться прямо на пляже, — начал вспоминать Хантер, — однако ее смутило то, что шпильки будут увязать в песке. И она обрадовалась, когда я предложил, чтобы мы с ней надели сандалии и предложили своим гостям сделать то же самое. А потом, перед приемом, она могла бы переодеться в свои белые атласные туфельки от Джимми Чу.

Лори заговорщически улыбнулась женщине, передавшей ей затребованную бутылку с водой. Докладывая печальную новость семейству Пирс, следователь Хенсон выглядела как образцовый претендент на роль полицейского детектива. Однако в синих джинсах и тенниске с надписью *«Под подозрением»* она сливалась с командой. Только Алекс сумел убедить ее в том, что интересы полиции не требуют нарушения запланированного порядка съемок.

Пока полиция сумела предотвратить утечку в прессу информации об обнаруженном под бетонной мостовой парковки теле.

Джефф мог знать, что полиция уже произвела раскопки, только в том случае, если это он делал анонимный звонок. Однако он никак не мог быть уверен, что обнаружили тело Аманды или ее обручальное кольцо. Так что пока инициатива находилась на их стороне.

Чувствуя себя вполне уютно перед камерами, Хантер еще раз сообщил Алексу о своем восхищении его адвокатским искусством.

— Ну, посмотрим, будете ли вы восхищаться им после того, как мы закончим наш диалог, — сухо отреагировал комментатор. — Давайте начнем с того, что проясним один важный факт. Вы женились на лучшей подруге Аманды всего через пятнадцать месяцев после предполагаемой свадьбы с ней. И вы не могли не понимать, что подобный поступок вызовет кривотолки.

— Ну конечно, мы понимали это, Алекс, — не стал спорить Джефф. — И именно поэтому не устраивали пышной свадьбы и постарались по возможности замолчать сам ее факт. Мы уже были влюблены друг в друга и, вступая в брак, в известной мере напоминали себе о том, что жизнь должна продолжаться, что надо двигаться дальше. Мы захотели сделать это вместе.

— Вам не кажется, что от этого поступка веет холодом?

— Может быть, но мы этого не чувствуем. Мы оба любили Аманду, и утрата ее соединила нас в семейную пару. Таким образом, мы помогали друг другу пережить горе.

— Итак, вы готовы официально, перед камерой, утверждать, что до исчезновения Аманды между вами с Меган ничего не было.

— Клянусь в этом самой жизнью. — Джефф поднял руку, присягая.

— Ваша жена рассказала нам о том, что Аманда очень переменилась после перенесенной ею болезни. Что она сделалась жестче. Стала не такой терпеливой. Кажется, она даже использовала слово «*эгоистичная*». Родная сестра Аманды разделяет подобное впечатление. Такое изменение характера вашей невесты должно было осложнить ваши взаимоотношения.

— Сомневаюсь в том, что Меган употребила именно это слово, однако, да, справедливо будет сказать, что после лечения Аманда стала другим человеком, — подтвердил Хантер. — Да и на ком не скажется свидание со смертью в столь раннем возрасте? Но, откровенно говоря, это заставило меня в еще большей степени восхищаться ею. Аманда намеревалась впредь брать от жизни все, что та в состоянии предложить.

— От одного из ваших друзей мы слышали, что вы подчас ссорились.

— Ну конечно, как и всякая пара. Однако в этом нет ничего необычного. Наши взаимоотношения действительно нельзя было назвать идеальными, что было связано в первую очередь с ее болезнью. Более того, на самом деле мы полюбили друг друга, как раз когда она заболела. А когда ей стало лучше, она стала не настолько зависимой от меня, и порой мне становилось неясно, каким образом наши жизни могут соединиться. Каким-то безумным образом оказывалось, что вне болезни нас ждет пустота.

— Аманда даже говорила Кейт о том, что может отменить свадьбу.

Утверждение это явно удивило Джеффа:

— Не могу представить себе причину. Мы оба очень хотели стать мужем и женой.

— Аманда сказала Кейт, что в ее жизни возникло какое-то обстоятельство и она хотела бы разобраться с ним. Вы уверены в том, что больше не видели ее в ту ночь после того, как разошлись с ней — она на девичник, а вы на мальчишник?

— Конечно, уверен.

— Теперь давайте обратимся к другой теме... поговорим о ваших обручальных кольцах. Они находились в вашем распоряжении до свадебной церемонии?

Вопрос этот ни на мгновение не смутил Джеффа.

— Да, они хранились в моем номере, в сейфе, однако их украли в какой-то момент нашего пребывания здесь.

— И когда вы видели их в последний раз?

— Дайте подумать... наверное, в день исчезновения Аманды. Фотограф начал делать первые снимки наших гостей и сделал в моей комнате пару снимков колец.

— После чего вы убрали их в сейф?

— Да, я уверен в этом.

— И после этого Аманда не заходила в ваш номер?

— Нет. По-моему, вы уделяете слишком много внимания этим кольцам. Они не имели особой ценности. Я не мог позволить себе дорогие. Существует какая-то особая причина для вашего интереса?

По спине Лори побежал холодок. Неужели Хантер проверяет их? Взглянув на лицо Алекса, продюсер поставила умственную галочку: никогда не играть против него в покер. Лицо его оставалось абсолютно невозмутимым.

— Меган предположила, что Аманда могла прихватить их с собой в качестве памятных вещей, — ответил Бакли.

Джефф кивнул, очевидно, удовлетворившись подобным объяснением.

— Она и мне говорила об этой возможности. По-моему, она хочет и в самом деле убедить себя в том, что Аманда спокойно где-то живет — к примеру, сбивает масло на ферме в Монтане. Разве это не было бы чудесно?

— Однако Аманда — не первая пропавшая женщина среди ваших знакомых, не правда ли?

— Это что за вопрос? Конечно, она первая и единственная!

— Нас заинтересовало убийство молодой женщины по имени Карли Романо. Она была второкурсницей в Колби, на год младше всех вас, и считалась пропавшей без вести в течение двух недель, после чего был обнаружен ее труп. Патологоанатом установил, что она была задушена. На этой фотографии, снятой за три месяца до ее смерти, присутствуете вы в обнимку с Карли...

Лицо Хантера вспыхнуло гневом:

— Вы не имеете права предполагать...

— Я всего лишь задал вопрос, Джефф?

— Это какое-то безумие. Колби — крошечный колледж, в нем всего восемнадцать сотен студентов. Фактически все знают всех.

— Однако на этом снимке ваша рука лежит на плечах Карли. Вы как будто увлечены ею.

— Вы делаете слона из мухи. Похоже, что снимок сделан в Боб-Ин, на местной танцевальной площадке. По-моему, Ник пытался очаровать какую-то из ее подруг. Я никогда не встречался с ней, между нами совершенно ничего не было.

— Существуют и другие фото, на которых вы запечатлены вдвоем.

— Возможно, их сняли в те немногие дни, когда мы оказывались там вместе. Карли считалась одной из первых красоток нашего кампуса. Все стремились пофлиртовать с ней на вечеринках, однако у меня с ней не было ничего серьезного — просто студенческое развлечение. Это просто смешно. Я прожил все эти годы, окруженный людьми, предполагавшими, что я убил любимую женщину, а теперь вы с самым серьезным видом делаете из меня некое подобие серийного убийцы?

Наступила пауза, Алекс позволил ей затянуться. Когда он заговорил, вся краска сошла с лица собеседника.

— Я должен кое-что сообщить вам, Джефф. Сегодня утром полиция обнаружила тело женщины, погребенное под парковкой, перестраивавшейся во время исчезновения Аманды.

Рот Хантера открылся и закрылся, как у марионетки.

— Это Аманда? — спросил он осторожно.

— Окончательного опознавания еще не проводили, однако они нашли ее кольцо с помолвки.

— С надписью «*Semper ametus*»? — пробормотал Джефф.

— Да, — ответил Алекс, — именно это кольцо. И это была не единственная драгоценность. Полиция нашла на ней и парное к нему обручальное, то самое, которое, по вашим словам, вы в последний раз видели в своем номере.

Хантер поднялся с кресла, сорвал с себя микрофон и быстрым шагом оставил съемочную площадку.

52

Через час Моран все еще расхаживала по гостиной номера Алекса.

— Лори, — проговорил тот, не скрывая озабоченной интонации, — я еще не видел тебя настолько взволнованной. Того и гляди протопчешь дорожку на гостиничном ковре.

Помимо них, в комнате находились только Лео и детектив Хенсон. Джерри с операторами расхаживали по территории, отснимая метраж местного колорита на предмет заполнения пауз между интервью. Лори попросила Грейс последить за Тимми, чтобы они с отцом могли спокойно побеседовать со следователем.

— Ты прав, — согласилась продюсер. — Я превратилась в комок нервов. Следует ли нам сообщить Сандре и Уолтеру о своих новейших достижениях?

Пока о значении находки кольца на теле Аманды и о связи Джеффа с Карли Романо знали только члены ее съемочной группы и сам Джефф.

Лео взял дочь за руку, когда она оказалась рядом с его удобным креслом.

— Остановись, наконец. С нами находится следователь, она знает, что делает и зачем... И по совести говоря, я сказал бы то же самое. Когда работаешь над каким-то делом, совершенно необязательно, чтобы потерпевшая сторона немедленно узнавала все подробности расследования.

Алекс сумел извлечь из Хантера некую полезную информацию. Тот признался в знакомстве с Карли, а также изложил собственную конкретную версию, касающуюся колец. Однако Марлин Хенсон не могла выписать ордер на его арест до тех пор, пока служба судебно-медицинской экспертизы не проведет вскрытие и не получит результаты, способные связать его со смертью Аманды.

Детектив Хенсон уже переоделась в свой черный брючный костюм.

— Я выставила наших сотрудников в штатском по всей территории и передала имя Джеффа Хантера всем авиалиниям и компаниям, сдающим в аренду машины, а также сообщила в «Амтрак»[1], — сказала она. — Если он попытается сбежать в Нью-Йорк раньше даты своего обратного билета, мы узнаем об этом.

— А что будет потом, когда он вернется в Нью-Йорк? — спросил Алекс.

— Мы решим это, когда придет время, и поверьте мне, наша служба совершенно не собирается упускать его из вида.

— Вот и хорошо, — кивнул Лео. — Если мы не ошибаемся, Джефф уже давно зашел чересчур далеко.

— Я все-таки не понимаю одного, — проговорила Лори, возобновляя свое хождение по номеру. — Не-

[1] «Амтрак» — национальная корпорация железнодорожных пассажирских перевозок.

ужели это Джефф позвонил в полицию? Но зачем ему было нужно указывать нам положение тела? Он должен был понимать, что обручальное кольцо привлечет всеобщее внимание к нему.

— Я тоже задумывался об этом, — проговорил Бакли. — Однако мне приходилось иметь дело с клиентами, проявлявшими чрезвычайную расчетливость в отношении следствий и выгод сделанных ими ходов. Джефф мог не сомневаться в том, что кольцо не сможет послужить достаточным основанием для его осуждения — потому что, строго говоря, так оно и есть. Но теперь, после того, как было найдено тело Аманды, он может наконец унаследовать ее трастовый фонд, не обращаясь ради этого в суд, который признает ее покойной, однако выставит его на осуждение общества.

— Пять лет назад этот фонд составлял около двух миллионов долларов, — проговорила Хенсон.

Лео присвистнул.

— Теперь на этом счету существенно больше.

— А существует ли какой-нибудь способ проанализировать записанный на ленте звонок и установить, принадлежит ли он Джеффу? — спросила Лори.

Марлин покачала головой.

— Исказитель голоса можно купить в любом магазине соответствующего оборудования. Как я уже говорила, насколько нам известно, могла звонить и женщина. Мы проследили звонок, он исходил из пустышки — незарегистрированного, одноразового аппарата. По информации, полученной из сотовой сети, звонок прошел через мачту, расположенную в двух кварталах отсюда. Так что сделать его мог любой из тех, с кем вы беседуете здесь. Итак, никакой пользы из этого извлечь невозможно, — продолжила Хенсон. — Могу ли я надеяться на то, что вы трое сохраните при себе содержание нашего разговора? Не заставляйте меня пожалеть о нем.

Моран заверила ее, что они ни в коем случае не проболтаются о том, что полиция считает виновником Джеффа, однако как только она закрыла дверь за детективом, то подумала, что совершенно не может представить себе, что звонил именно Хантер. Все-таки получалось, что они чего-то не понимают.

Когда Лори вместе с отцом вышла из номера Алекса, она спросила у Лео, не хочет ли он прокатиться с ней в автомобиле после того, как они свозят Тимми в аквапарк.

— Зачем так долго ждать? — ответил тот. — Я только что видел Джерри, гордившегося тем, что они с операторами досрочно отсняли здешнюю обстановку. И к моему удивлению, Джерри объявил, что ждет не дождется возможности свозить Тимми на ту четырехэтажную водную горку, которая так заинтересовала нашего мальчика.

— Сейчас спрошу у Джерри, не пошутил ли он или действительно хочет остаться с Тимми, чтобы ты мог составить мне компанию, — решила Моран.

— При всей любви к собственному внуку я в свои шестьдесят четыре года не чувствую никакой симпатии к водяным горкам. А ты, Лори, лучше устрой себе перерыв и проведи свободное время с Алексом. Ты снимала весь день.

— Это так, однако мне нужно кое-что сделать, и мне будет спокойнее, если ты будешь рядом со мной. Только ты должен пообещать, что на этот раз командовать буду я.

53

Лори в третий раз постучала в дверь.

— Я знаю, что вы дома.

Она заглянула в окно дома Джереми Кэрролла, однако в гостиной никого не было. Впрочем, не было заметно и никаких признаков того, что хозяин расстался со своей коллекцией снимков.

Продюсер отошла к краю крыльца, чтобы увидеть, остается ли ее отец во взятой напрокат машине, стоявшей на противоположной стороне улицы.

Она хотела, чтобы он держался в пределах видимости на тот случай, если дела примут жуткий оборот, однако подумала, что скорее уговорит Джереми открыть ей, если будет просить об этом в одиночестве.

Подходя к дому по дорожке, женщина заметила, как шевельнулись шторы, и поэтому не намеревалась уходить, не получив ответа.

— Я знаю, что вы не сделали Аманде ничего плохого! — воскликнула она. — Простите нас за прошлую настырность, но я подумала, что вы захотите помочь нам. Пожалуйста!

Дверь приоткрылась на дюйм. Глаза Джереми посмотрели на Моран из-под неухоженной каштановой челки.

— Вы точно одна? — спросил он, не скрывая страха.

— Да, обещаю.

Кэрролл распахнул дверь и отступил на шаг, пропуская Лори внутрь дома. Оставалось только надеяться на то, что она не совершает жуткую ошибку.

* * *

— Мне не понравился тот мужчина, который был с вами, — проговорил Джереми сразу же, как только гостья уселась рядом с ним на диван в его гостиной. — Он показался мне офицером полиции.

— На самом деле это мой отец, — проговорила Лори, считая, что эти слова сойдут за объяснение. — Вы правильно встревожились... люди действительно могут отнестись к вам с подозрением, если узнают, что вы снимали Аманду и ее друзей без их ведома. Теперь я поняла вас. Вы занимаетесь фотографией, потому что люди не безразличны вам. Вы хотите видеть их такими, какие они есть, в самые искренние мгновения их жизни, а не когда они улыбаются, глядя в объектив фотоаппарата.

— Вы совершенно правы. Мне неинтересно видеть лица, которыми люди отгораживаются от мира. Я хочу правды.

— Вы сказали, что избавились от снимков своих соседей, когда поняли, что они искренне расстроены своими фотографиями. А как насчет фотографий Аманды?

Джереми, моргая, смотрел на Лори. Он все еще не доверял ей.

— Я видела вас на пленке, отснятой камерой внешнего наблюдения, — добавила женщина. — Она прошла мимо, и вы повернули следом за ней. Аппарат был при вас. Как художник, вы не могли не сделать нескольких снимков.

— Мои работы — не просто *снимки*, как те любительские фотки, которые вывешивают в Инстаграм. Они — мои произведения, мое искусство.

— Простите меня, Джереми, должно быть, я употребила неверное слово. Однако Аманда была прекрасной и, что более важно, умной и сложной личностью. Вам известно, что она перенесла очень тяжелое заболевание?

Фотограф покачал головой.

— Лимфому Ходжкина. Она была очень и очень больна. Аманда потеряла целых двадцать фунтов и долго не имела сил подняться с постели.

— Как это ужасно... — печально проговорил Кэрролл.

— Это рак иммунной системы. Он не дает телу бороться с инфекциями. Аманде повезло в том, что она сумела полностью выздороветь, и она понимала это. И потом говорила подругам, что теперь хочет насладиться жизнью во всей полноте.

Джереми кивнул:

— Я знал, что она была особенной.

— Должно быть, у вас есть... — Лори попыталась подобрать нужное слово. — Ее *портреты*. Вы ведь сохранили их, так?

Кэрролл неторопливо кивнул. Гостья начинала завоевывать его доверие.

— Вы хранили их не без причины, — сказала она. — А вам не кажется, что на каком-то из этих снимков может обнаружиться что-то такое, что может позволить нам узнать правду о ее судьбе?

— Вы не собираетесь одурачить меня?

— Клянусь, Джереми, мне нужна только ваша помощь! — Моран понимала, что репортеры скоро узнают о том, что тело Аманды найдено, однако пока еще об этом никому не было известно. — Возникли новые свидетельства, но мне запрещено разглашать их. И в свете этих свидетельств, думаю, никто не поверит в то, что вы могли сделать Аманде что-нибудь плохое.

Фотограф вдруг лихорадочно задышал — так быстро, что Лори даже подумала, что ее собеседником овладел приступ паники. Повернувшись, она положила ладонь на его руку — теплую и липкую.

— Все в порядке, Джереми, — постаралась уверить она его. — Можете поверить мне.

Он торопливо вскочил, как бы пытаясь перейти к действию, пока не передумал. Потом он перешел в столовую и начал разбирать башню из газет и журналов. Затаив дыхание Моран последовала за ним в комнату. Наконец Кэрролл извлек из-под самого дна стопки огромный почтовый конверт и передал его своей гостье.

Четкие, крупные буквы на нем гласили: «ГРАНД ВИКТОРИЯ», а под ними стояла дата исчезновения Аманды.

— Можно открыть? — спросила продюсер.

Фотограф кивнул — с болезненным выражением на лице, как если бы подозревал, что незваная гостья может наброситься на него.

Лори достала из конверта стопку фотографий и начала раскладывать их на обеденном столе. Их никак не меньше сотни, подумала она. Несколько снимков были похожи на те стандартные групповые фото, которые снимал Рэй Уокер, однако по большей части они были сняты без ведома присутствовавших на них персонажей.

Перебирая снимки, Моран обратила внимание на один из них, на котором все приглашенные собрались за большим круглым столом возле бассейна.

Судя по всему, фотография была сделана с некоторого расстояния с помощью длиннофокусного телеобъектива. Джереми и в самом деле оказался великолепным фотографом. Резкость была идеальной. Женщина с удивлением отметила, что двое присутствующих держатся за руки под столом. Ошибиться невозможно. Пытаясь сохранить бесстрастное выражение, продюсер вытянула этот снимок из стопки.

— Вы не будете возражать, если я возьму эту карточку себе? — спросила она.

— Хорошо.

Немного помедлив, Лори проговорила:

— Джереми, я хочу нанять вас, чтобы вы сделали в точности то, что делали в тот раз. Чтобы вы пришли в гостиницу и отсняли людей, находящихся на съемочной площадке: не только портреты, но и снимки с большого расстояния, так, чтобы люди не знали, что вы снимаете.

— Мне хотелось бы поработать на вас, — кивнул Кэрролл. — А это фото поможет с Амандой?

— В какой-то степени, — ответила женщина, будучи уверенной в том, что снимок как раз не имеет отношения к убийству Аманды. Фотография потребовалась ей, потому что она знала кое-кого, кто хотел бы, чтобы она не всплыла на поверхность.

Перебирая дальше снимки, Моран заметила, что Джереми расположил их по времени. По мере продвижения к низу стопки солнечный свет становился все менее ярким. Она остановилась на фото, изображавшем Аманду со спины. Девушка была в сарафане, выбранном ею для послеполуденной фотосессии, а вдали виднелся бар отеля.

Лори показала Джереми это фото.

— Это снято в тот самый момент, когда вы увидели ее на променаде и обернулись?

Фотограф кивнул.

— Джереми, это очень важно, — вновь заговорила Моран. — Получилось именно так, как вы говорите. Вы умеете видеть правду под фальшивыми личинами, которыми люди прикрываются на публике. А вам не приходилось видеть, чтобы Аманда и ее жених ссорились? Возможно ли, чтобы она попыталась отменить свадьбу?

Кэрролл отрицательно покачал головой, после чего придвинулся к Лори и начал сам перебирать фотографии. Она едва ли не ощущала его дыхание на шее.

— Вот, позвольте помочь вам, — проговорил он, начиная по одному извлекать снимки из стопки уже просмотренных ею. — Посмотрите, какими глазами они смотрят друг на друга! Они не знали, что я наблюдаю за ними. Люди не способны изображать подобные чувства.

Джереми был прав. Выбранные им карточки свидетельствовали о неподдельной любви. Вот Джефф обнимает за талию спускавшуюся в бассейн Аманду. Вот Аманда полными обожания глазами смотрит на жениха, садящегося рядом с ней за столик в ресторане. Вот, взявшись за руки, они идут рядом по пляжу. Эти двое явно не имели представления о том, что их снимают, однако было заметно, что они по уши влюблены друг в друга.

— А вот еще одна вещица, — проговорил фотограф, извлекая из своей коллекции образчик, рассказывавший уже другую историю. — Не думаю, что число влюбленных пар на той неделе ограничивалось женихом с невестой и двумя милыми пташками, взявшимися за руки под столом.

Теперь Лори понимала, что имел в виду Джереми, когда говорил, что его фотографии выхватывают в людях самую суть.

— Могу ли я взять и вот эти тоже? — спросила она, добавив к отобранному снимку еще несколько.

— Да, конечно, берите все, что, по-вашему, может оказаться полезным, — проговорил ее собеседник. Теперь Моран ощущала, что он, наконец, почувствовал себя непринужденно в ее присутствии.

Он сам предложил ей последний снимок.

— И я знаю, что вам понадобится вот это фото.

На этой фотографии присутствовали двое. Одной была Аманда. И она вырывала свою ладонь из чужой руки. С открытым ртом. Рассерженная. Обиженная. Расстроенная, как и ее визави. Которым был вовсе не Джефф.

— И когда же это было? — уточнила Лори.

— Вскоре после того, как я увидел ее во дворе. Это было примерно в шесть вечера, еще до того, как они ушли переодеваться к обеду.

— А что случилось потом?

— К ним подошла другая подруга студенческих лет. Кажется, ее звали Кейт? Когда она подошла, обе они как будто заставили себя изобразить, что между ними все в порядке.

— А позже вы снимали?

Джереми отрицательно покачал головой.

— Нет, потом все они уже были в масках. Не было никакого смысла.

— И после этого вы ушли из отеля?

— Нет. Я остался. В «Гранд Виктории» очень красиво. Было приятно просто погулять там и поснимать отдыхающих.

— Вы еще видели Аманду в тот вечер?

— Да, видел.

Лори едва могла поверить собственным ушам.

— Вы помните, что после того, как она исчезла, по телевизору все крутили ту запись, на которой она идет к лифту с подругами, а потом поворачивает назад? — спросил Кэрролл.

— Ну конечно! Это когда ее видели в последний раз.

— Это не так. Я видел ее после этого.

— И что же было дальше?! — Моран уже едва ли не кричала от возбуждения.

— Она в одиночестве шла к парковке и гаражу.

— Вы видели, как она села в машину?

— Нет, я последовал за ней до лестницы и остался наверху.

— Почему? Ну почему вы не пошли за ней?!

— Там, внизу, было очень тихо. Каждый звук отдавался эхом. Я побоялся, что она услышит мои шаги. Не хотел пугать ее.

Лори оставалось только представить, насколько все могло пойти по-другому тем вечером. Если убийца затаился в гараже, звук шагов Джереми мог отпугнуть его.

54

Лео Фэрли, не сводя глаз с крыльца дома Джереми Кэрролла, в тридцатый, наверное, раз за три минуты обновлял почтовое приложение в мобильнике. Отношение его к компьютерам колебалось в широких пределах — от любви до ненависти. Иногда он подумывал о том, насколько более легкой сделалась бы его работа в полицейском департаменте Нью-Йорка, если бы все эти технологии уже тогда находились в его распоряжении. Но, с другой стороны, случались и такие моменты, когда ему хотелось вновь иметь дело с нормальным человеком на другом конце старого доброго телефонного провода.

Он заметил озабоченное выражение на лице Лори, когда его дочь выходила из машины. Пока что ее шоу имело феноменальный успех. Оба предыдущих выпуска сыграли ключевую роль в определении личности убийцы. Работа Лори в «Гранд Виктории», безусловно, была полезна, однако на этот раз было похоже, что ей удалось всего лишь пронести мяч вперед, но не доставить его за линию гола. «Я пробыл копом почти тридцать лет, — думал Лео. — И я научился понимать разницу между нутряным чутьем и несомненными доказательствами. Однако Лори еще не сумела в полной мере познать чувство неуверенности». Им нужны были более основательные доказательства для того, чтобы полиция получила возможность обвинить и арестовать Джеффа. И Фэрли намеревался найти их. «Возможно, я сделал ошибку, — думал он, — позволив своей дочери войти в дом этого Джереми в одиночестве». Он просил Лори, чтобы она позволила сопровождать ее, однако та настояла на том, что справится сама. Ей не терпелось узнать истину. Но хорошо уже то, что она приехала сюда не одна. Что позволила ему проводить себя.

Для того чтобы скоротать время, Лео вызвал Колби, отдел по делам студентов, и попросил помочь ему отыскать в коллежских ежегодниках какую-нибудь информацию о Карли Романо. По показаниям Джеффа, он был всего лишь поверхностно знаком с этой молодой женщиной, убитой неподалеку от кампуса. Если Фэрли сумеет доказать, что Карли и Джефф были знакомы более тесно, то они сделают шаг к тому, чтобы открыть дело против него.

Когда Лео объяснил, что он первый заместитель комиссара нью-йоркского полицейского департамента в отставке и на добровольных началах, в свободное время, расследует обстоятельства убийства Карли, секретарша сразу же сказала, что во всех ежегодниках есть указатель имен студентов. Она обещала ему отсканировать все страницы, на которых упоминается Карли, и отослать ему по электронной почте. Это было все, что он мог сделать, оставаясь в машине.

Когда Моран вышла из дома Джереми, ее отец как раз опустил голову на подголовник водительского сиденья. Оставалось только гадать, сколько раз он поднимался с места, намереваясь идти к ней на выручку.

— Лори, скажу тебе честно: это были самые долгие двадцать минут в моей жизни, — проговорил Лео, когда она плюхнулась на пассажирское место.

— Папа, подожди, я сейчас тебе все расскажу, — сказала продюсер, роняя на пол принесенный пакет и застегивая ремень безопасности. Тут затрещал ее мобильник. Пришло новое сообщение от Алекса:

«В местных новостях уже сообщили об обнаружении тела Аманды. CNN освещает новость. Идем с Тимми в бассейн. Жду новых указаний».

Моран еще дочитывала сообщение, когда телефон уже зазвонил. Это был Бретт Янг.

Женщина немедленно ответила:

— Бретт, я полностью в курсе. Мы далеко продвинулись.

— Великолепно! А теперь, пожалуйста, скажи мне, что вы уже заканчиваете съемки.

— Да, мы уже отсняли всех значимых персонажей.

Лори в полном цвете и звуке представила себе, как босс со смаком откупоривает бутылку шампанского на другом конце линии.

— Итак, сколько мне еще ждать завершения? — уточнил он. — Я хочу немедленно начать рекламу.

— Бретт, но мы еще не добились ответа.

— Мы должны ковать железо пока горячо. Я хочу выйти в эфир как можно скорее. Заканчивайте, да живее! Пронто![1]

— Дело в том, что у нас имеется небольшая проблема. У нас есть только вопросы, но нет ответов, — стала объяснять Моран, но внезапно поняла, что контакт разорван: Янг не стал дожидаться ее ответа.

Лео включил первую передачу.

— Должно быть, Бретт считает тебя новым Гудини.

— В новостях передали, что полиция обнаружила тело Аманды. Ты слышал? — повернулась Лори к отцу.

— Нет, я не включал радио. Разговаривал по телефону.

— Он хочет, чтобы я заканчивала как можно быстрее.

— Чего ради? — запротестовал Фэрли. — В данный момент нам пока неизвестно, кто именно убил Аманду.

[1] Живо! (*Ит.*)

Его дочь подумала о фотографиях, которые передал ей Джереми. Действительно ли она уже знает имя убийцы?

Возможно.

55

Лео высадил Лори у входа в отель и подождал, пока служащий заберет автомобиль, а его дочь сразу же направилась наверх, к Алексу. И как только она вошла в вестибюль, к ней сразу же устремилась Кейт Фултон.

— Ой, Лори, слава богу! Я уже вся обыскалась. В такой момент, конечно, ужасно думать о чем-то, кроме Аманды, но это действительно важно. Я уже переговорила с Джерри, но он сказал, что не вправе давать никаких обещаний. Я понимаю, что подписывала соглашение, однако после всего этого не хочу, чтобы вы использовали мое интервью.

Моран меньше всего на свете хотелось улаживать сегодня подобный вопрос. Бретт и так дышал ей в затылок, и она отчаянно нуждалась в том, чтобы переговорить с Алексом. Она буквально чувствовала, как рвутся наружу фото из ее портфеля. Они с Лео решили, что их нужно передать детективу Хенсон, однако продюсер нуждалась в совете Бакли для того, чтобы принять окончательное решение.

— Кейт, мне кажется, я знаю причину, заставившую вас передумать насчет интервью, — отозвалась Лори, — но не можем ли мы поговорить на эту тему попозже? Мы можем без малейших колебаний вырезать смущающее вас место.

— Подождите... что вы знаете? Генри вам что-то сказал?

Продюсер запустила руку в свою сумочку и достала из нее первую из полученных от Джереми фотографий, на которой все сидели вокруг стола. Даже с такого расстояния Кэрролл углядел, что Генри держит Кейт за руку.

— Этот снимок сделал стажер свадебного фотографа, — сказала Лори, передавая Фултон свой единственный экземпляр. — И не сомневайтесь, я вырежу ту часть, где вы говорите, что, пожалуй, действительно вышли замуж раньше, чем следовало бы... Об этом никому не нужно знать.

Кейт первой из женщин отправилась спать после девичника. Брат Аманды, Генри — первым среди мужчин после мальчишника. Среди всех остальных только они были семейными людьми. Как родители маленьких детей, они мечтали о сне. Однако распрощавшись со всей компанией, уединились в одном из номеров.

— Я люблю своего мужа, — проговорила Фултон. — И это была всего только одна ночь. Ужасная ошибка... и Генри тоже так считает.

— Нет необходимости что-либо объяснять, — заверила ее Моран.

Кейт с пылом обняла ее.

— Я чувствую себя такой виноватой в том, что думаю о себе, когда они, наконец, нашли Аманду. Бедные Сандра и Уолтер! Остин предложил им всем воспользоваться его самолетом, если они хотят вернуться домой, однако они сказали, что хотят задержаться здесь.

— Они прекрасно владеют собой, — сказала Лори. — Все-таки прошедшие годы подготовили их к печальной истине. Но вы можете помочь мне в одном вопросе.

— В каком?

— Не было ли какой-то ссоры между Меган и Амандой, пока вы были внизу?

— Не знаю, — ответила Кейт. — Как вам теперь известно, мои мысли тогда были заняты другими вещами. Но почему вы спрашиваете?

— Аманда говорила вам о том, что не знает, вступать ли ей в брак и что ей следовало бы кое-что выяснить. Возможно ли, что она заметила, что между Меган и Джеффом кое-что есть?

— Не знаю — может быть. Но неужели вы думаете, что это Меган убила Аманду?

— Конечно же, нет! — заторопилась с ответом Лори. — Мы просто пытаемся закрыть все возникшие вопросы.

Она проводила взглядом направившуюся к лифту Фултон, прекрасно понимая, что та намеревается немедленно уничтожить отданное ей фото. Но заинтересовавшие Моран другие пять фотографий оставались в ее чемоданчике. На каждом из этих снимков, сделанных в разное время, Меган Уайт бросала страстные взгляды в сторону Джеффа, ворковавшего возле своей невесты. Однако наиболее красноречивым было последнее фото: Аманда вырывала свою ладонь из руки Меган во время горячего спора.

56

Лео только что вернулся в свой номер, когда услышал стук в дверь, после чего знакомый голос произнес:

— Это я, Лори. Пап, ты у себя?

Голос дочери казался озабоченным, и Фэрли вскочил с кресла, чтобы впустить ее.

— Ты не видел Алекса и Тимми? — немедленно спросила она. — Нигде не могу их найти.

— Тимми оставил записку: Алекс вместе с ним и Джерри отправился в аквапарк. Он закончил ее пятью восклицательными знаками, — ответил Лео.

Вид аккуратно выведенных сыном слов на фирменном бланке «Гранд Виктории» лишь отчасти успокоил Моран.

— Когда Алекс прислал мне эсэмэску о том, что идет с Тимми в бассейн, я думала, что они будут около отеля, — сказала она.

Фэрли ожидал, что его дочь вновь выразит свое беспокойство из-за того, что Тимми слишком уж привязывается к Алексу, однако она переменила тему и вернулась к делу:

— Пап, никак не могу решить, стоит ли передавать эти фото детективу Хенсон.

Продюсер извлекла снимки из своего чемоданчика и разложила их на постели. По дороге в отель находившийся за рулем Лео не имел возможности вниматсльно рассмотреть их.

— Вот смотри, — проговорила его дочь, указывая на фотографию, на которой находящаяся на заднем плане Меган буравила яростным взором Джеффа и Аманду, позировавших под мраморной аркой возле бассейна. — Видно же, что она его любит, а он даже не подозревает об этом. А вот на этом последнем снимке Аманда и Меган даже подрались. Меган не говорила нам о том, что после той ссоры в конторе «Ледиформ» они так и не помирились.

— Ты думаешь, что они ссорились из-за Джеффа? — спросил Лео.

— Аманда каким-то образом поняла, что Меган любит Джеффа. Возможно, даже ощутила, что эта симпатия взаимна. Она сказала Кейт, что ей нужно кое-что выяснить, прежде чем идти под венец. На фото может быть запечатлен результат выяснения отношений между ней и Меган. Я думаю, они заставили себя остановиться, потому что приближалось время обеда, но согласились продолжить разговор после.

Поэтому, должно быть, Аманда направлялась к парковке. Если бы только Джереми последовал за ней до машины!

— Кажется, ты говорила, что Меган и Шарлотта вместе поднялись на лифте, после того как Аманда сказала им о том, что чего-то там забыла, — сказал Фэрли.

— Ну да, но как только Меган вернулась в свою комнату, она осталась в ней одна. Нам придется запросить справки в отеле, однако Меган, безусловно, должна была иметь возможность выйти из отеля незамеченной. На ленте осталось нечеткое изображение. И если она сменила платье на джинсы и бейсболку, то могла сойти и за парня. Плюс к этому я думала и о Карли Романо. Если она встречалась с Джеффом и Меган уже проявляла к нему интерес, то Меган могла покуситься и на жизнь Карли. Она хотела получить Джеффа в собственность.

В этот самый момент ноутбук Лео тренькнул с находящегося в углу стола. Пришло новое письмо. Он готов был оставить его без внимания, однако все-таки успел взглянуть на монитор. Это было письмо из Колби, из отдела по студенческим делам.

— Кстати о Карли, — проговорил бывший полицейский. — Я связался с колледжем и попросил найти какие-нибудь подробности, способные пролить свет на их взаимоотношения с Джеффом. Они обещали мне просканировать все страницы, на которых упоминается имя Карли. — Он открыл приложение к сообщению. — Не вижу здесь никакого Джеффа... Ну-ка, посмотри сюда!

Лори пробежала глазами некролог Карли в ежегоднике второго курса. Оказалось, что погибшая девушка была президентом дискуссионного клуба. *«Лишившись Карли, клуб был вынужден избрать нового президента»*, — говорилось в некрологе. А дальше шла цитата: *«Смерть Карли стала трагедией и утратой для нашего клуба и всего сообщества студентов Колби. Могу только надеяться на то, что сумею сделать половину того, что сделала бы она»*.

Под этой цитатой располагалась улыбающаяся физиономия нового президента клуба, третьекурсницы Колби Меган Уайт.

В тот миг, когда подал голос ноутбук Лео, сообщая о приходе письма, зазвонил и мобильный телефон Джеффа Хантера. Неожиданный звонок из Нью-Йорка. Джефф был потрясен тем, кто звонил и что сказал о Меган.

57

Как только Хантер закончил свой разговор, Остин дал знак ожидавшему возле бассейна официанту и распорядился, чтобы подали виски.

— Когда нам его принесут, будет уже пять часов вечера, — сказал он. — Но кого я хочу обмануть? Я начал после ланча. Ты хочешь чего-нибудь?

Джефф покачал головой, но ничего не сказал. Как только официант отошел, Пратт проговорил:

— Прости, не могу даже представить, что ты сейчас чувствуешь. Думаю, наверное, почти все мы подозревали, что Аманда давно... Ну, ты понимаешь... Однако удостовериться в этом вот так — то еще переживание. А кто звонил? Ты как будто расстроился.

Хантер сообщил Остину, что все в порядке, и быстро переменил тему.

— А где сейчас Ник? — спросил он, хотя сейчас ему хотелось бы немедленно поговорить с женой. Меган и Кейт проводили день в спа-салоне отеля. После телефонного разговора Джефф испытывал сильнейшее желание ворваться в салон и потребовать объяснений. Однако после трёпки, полученной днем от Алекса Бакли, ему было ясно, что все будут подозревать именно его. Насколько он понимал, полиция отправила в отель сотрудников в штатском следить за каждым его шагом, так что он не мог позволить себе потерять самообладание на людях. Однако обида и смятение требовали немедленного разговора с Меган. Хантер глубоко вздохнул и постарался сохранить спокойствие.

— Ник готовит яхту, — сказал Пратт. — Ну, ты его знаешь. Он может возиться вечность.

«Остин и Ник постоянно соревнуются между собой», — подумал Джефф и посмотрел на часы.

— Едва ли у вас обоих хватит времени на круиз по коктейлям перед обедом, — заметил он. Вся их компания бывших студентов планировала вечером общий обед, а после того, как было найдено тело Аманды, Кейт перезаказала столик на шесть тридцать. Их ожидал ранний и трезвый вечер, отнюдь не то воссоединение, которого они ждали. Джефф даже не хотел идти на него, однако Меган полагала, что не следует оставлять Кейт скорбеть в одиночестве.

— Никакого коктейльного круиза, — поправил его Остин. — Ник отплывает рано, чтобы очаровать одну миллиардершу. Его ждет клиентка в Бока-Ратоне.

И правда! За всем случившимся эта информация успела ускользнуть из памяти Джеффа.

— О черте речь — и черт навстречь, — усмехнулся Пратт. К ним пробирался Янг в полосатых шортах и спортивной рубашке с короткими рукавами, капитанской фуражке на затылке и с банкой пива в руке. — Итак, ты наконец воспользовался надуманным предлогом для того, чтобы спустить свой баркас на воду?

— Ты завидуешь, потому что моя яхта лучше твоей, — заявил Ник и только после этого заметил задумчивое выражение на лице Хантера. — Эй, давай-ка не унывать! Все мы горюем по Аманде.

Джефф кивнул.

— А где дамы? — осведомился Янг. — С Меган мы увидимся вскоре после того, как вернемся домой, но мне хотелось бы попрощаться с Кейт.

— Обе решили прогнать горькие воспоминания из головы массажем, — проговорил Хантер, взглянув в сторону ведущего к спа коридору. Ни Кейт, ни Меган в нем видно не было. После недавнего звонка каждая проведенная без объяснений минута казалась ему часом.

— Ты сумел попрощаться с родственниками Аманды? — спросил Остин Ника.

— Я только что от Сандры. Едва не прошел мимо ее двери, так и не постучав, но рассудил, что не могу уехать отсюда, не выразив соболезнования, — ответил тот.

Джефф не стал рассказывать своим друзьям, что днем тоже постучал в эту дверь, однако Сандра захлопнула ее перед ним.

Пратт спросил о том, как держатся Пирсы.

— Хочешь это знать? — отозвался Ник. — Не слишком. У меня возникло впечатление, что они больше всего хотят, чтобы их оставили в покое. Сегодня у них семейный обед... будут плакать и поминать Аманду.

Остин поднял свой бокал с виски и негромко проговорил:

— За Аманду.

— Ну, ребята, до встречи в Нью-Йорке, — сказал Янг. — Счастливо оставаться, старина.

Он дружески похлопал Джеффа по спине, и Пратт последовал его примеру. «Что это, — подумал Джефф, — мной овладел приступ паранойи или даже мои лучшие друзья начинают иначе относиться ко мне?»

Ему нужно было срочно поговорить с Меган.

58

Лори отодвинула свой стул от стола в ту же секунду, когда запищал от вставленной карточки дверной замок. Тимми и Алекс вернулись из аквапарка в купальных шортах и футболках с логотипом «Никс»[1]. Моран обняла сына. Волосы его были теплыми, и от него пахло хлоркой и солнцезащитным кремом.

— Тебе понравилось? — поинтересовалась женщина.

— Потрясно! Там даже лучше, чем в «Шести флагах»[2]. — Подобный комплимент в устах Тимми означал, что он оказался в некоем подобии Шангри-ла[3]. После этого он удивил мать, сказав, что хотел бы все рассказать ей, но хочет сначала из-за жары принять душ. Ребенок рос, и рос быстро.

Услышав, как потекла вода в душе, Лори начала рассказывать Алексу о том, что узнала сегодня утром. Она показала ему сделанные Джереми фото Меган, а также почерпнутую из ежегодника Колби информацию о ней. И когда Моран закончила излагать свои соображения, ее друг упер руки в колени и вздохнул.

— И это в тот самый момент, когда мы как будто уже решили, что нащупали кое-какой вывод!

— Понимаю. Я уже было уверилась в том, что это сделал Джефф. А теперь выходит, что нельзя исключать и Меган. И это если я снова не упустила чего-то важного.

— А как насчет кольца, найденного на руке Аманды?

---

[1] «New York Knicks» (сокр. от Knickerbockers, одного из прозвищ нью-йоркцев, происшедшего от псевдонима писателя Вашингтона Ирвинга) *(англ.)* — клуб Национальной баскетбольной ассоциации.

[2] «Шесть флагов» — одна из крупнейших в мире сетей парков развлечений.

[3] Шангри-ла — волшебная страна из романа Джеймса Хилтона «Потерянный горизонт».

— Ну, Аманда могла взять свое кольцо из сейфа. Может быть, захотела поносить его и опробовать, как оно выглядит на руке, а Меган потом нетрудно было и не заметить этого.

— На мой вкус, у тебя получается слишком много «если».

— Именно. И вот почему я не знаю, что нам делать с этими свидетельствами. В предыдущих программах нам удавалось найти достаточно четкие доказательства, и мы были абсолютно уверены, что является истиной. Мы могли одновременно выпускать программу в эфир и называть имя убийцы. Но теперь я имею свидетельства против Меган и хочу продолжить расследование. А Бретт уже дышит мне в затылок и требует, чтобы мы как можно скорее выходили в эфир. Плюс к этому мне кажется, что нужно сообщить в полицию о том, что мы знаем...

Алекс закончил мысль за подругу:

— Но теперь эта информация принадлежит исключительно тебе. И если поделиться ею с публикой...

— Тут мне и конец придет. Бретт потребует мою голову на блюде.

— Он действительно настолько беспринципен, что может потребовать, чтобы ты утаила свидетельства?

— Пока не было повестки с вызовом в суд. Однажды он сказал мне, что для него важны только рейтинги Нильсена[1]. — Лори чувствовала под ложечкой раскаленный уголь. — Не знаю, что делать.

---

[1] Рейтинг Нильсена — система подсчета аудитории телепрограмм в США.

Бакли опустил руки ей на плечи и заглянул в глаза.

— Во-первых, постарайся не паниковать. Меган знает только то, что я припекал Джеффа по третьему уровню. Она не имеет никакого представления о том, что у тебя появились эти снимки, так? Как и о том, что Лео звонил в Колби?

Лори кивнула и в самом деле начала успокаиваться. Алекс всегда производил на нее подобный эффект.

— Ладно, — проговорил он уверенным тоном, — это дает тебе возможность подумать. А теперь позволь мне переодеться, и можем встретиться за ранним обедом в полном составе. С Грейс и Джерри. Заново проговорим все, что нам известно. Ну а потом ты сможешь решить, что лучше: обращаться в полицию или продолжать работу.

— Перспектива кажется мне привлекательной, — ответила Моран, делая шаг навстречу объятиям Алекса.

— Позволишь теперь развлечь тебя рассказом о нашем сегодняшнем пребывании в аквапарке? — предложил он.

— Это было бы здорово, — проговорила Лори с улыбкой. — Не могу даже представить себе Джерри с мокрой головой в купальном костюме, скатывающегося по желобу вниз.

— Тебе бы понравилась эта картина. Прямо большой ребенок, и Тимми был более чем рад возможности поплескаться в воде рядом с приятелем, которому это доставляет удовольствие.

— А как вел себя ты сам? — поинтересовалась женщина. — Если я спрошу Джерри, какими красками он опишет тебя, качающегося на волнах?

Алекс принял преднамеренно надменный вид.

— Для этого занятия я чересчур благороден. Однако, возможно, сегодня аквапарк посещал мой однояйцевый близнец. Должно быть, он выглядел довольно забавно — такие длинные конечности сложно уместить в желобе.

— Если у Джерри найдутся фото твоего двойника, — фыркнула Лори, — я отошлю их в «Юридический журнал».

59

Джереми успел забыть, насколько обширна территория «Гранд Виктории». Он бродил по ней уже почти двадцать минут, но так и не встретил никаких свадебных гостей, за которыми должен был наблюдать. На дорогу к отелю у него ушло больше времени, чем думала Лори.

Ему нужно было взять с собой несколько объективов. Делать снимки с помощью телеобъектива нелегко, тем более когда солнце клонится к закату и свет слабеет. Он надеялся, что еще не опоздал, потому что не хотел разочаровать Моран.

Когда Лори наняла его делать снимки скрытой камерой без ведома фигурантов, он был взволнован и удивлен одновременно. Ведь когда она с отцом впервые посетила его дом, то, по ее же собственным словам, оказалось, что поступать так нехорошо. Теперь же, развернувшись на сто восемьдесят градусов, она предложила ему деньги именно за это.

Кэрролл вдруг остановился на месте. Что, если все это — коварный обман? В данный момент он меньше всего на свете нуждался в еще одном запретительном предписании из полиции.

Он уже подумывал о том, не повернуть ли в обратном направлении, когда ему, наконец, попался знакомый: Джефф Хантер, бывший женихом пять лет назад. Внешне этот молодой человек не слишком изменился. Он как раз входил в нишу, за которой располагалась дверь, ведущая в другую часть отеля. Но как только Джереми собрался последовать за ним, Джефф снова появился снаружи, на этот раз в обществе темноволосой женщины.

Фотограф посмотрел в видоискатель и приблизил сцену. Это была Меган, свидетельница Аманды.

Ни Джефф, ни она не показались ему счастливыми.

Джереми немедленно начал снимать. Может, он отдаст Лори получившиеся снимки, а может, и не станет этого делать. Так или иначе, отказать себе Кэрролл не мог: он любил наблюдать за людьми.

60

— Ш-ш-ш! Тебя, наверное, слышит весь этаж.

Джефф Хантер не возражал, чтобы его услышал весь штат Флорида. Он никогда еще не испытывал такой злости на Меган. Хуже того, он чувствовал себя преданным ею.

Пока Меган и Кейт нежились в спа, ему позвонил Митчелл Лэндс, адвокат, распоряжавшийся состоянием Аманды. Поначалу Хантер решил, что тот хочет выразить свои соболезнования, поскольку известие о том, что тело Аманды нашли, уже успело попасть в новости.

Однако юрист звонил ему не только по этой причине.

Джефф был в таком гневе, что даже не узнавал собственный голос.

— Тело Аманды нашли всего несколько часов назад, а Лэндс уже звонит мне, чтобы объяснить процесс передачи наследства. Я сказал ему, что никогда не был заинтересован в ее деньгах, — выкрикнул молодой человек, — и тут взрывается бомба! Представь себе мое потрясение, когда я услышал от адвоката, что *ты* звонила ему сегодня утром и интересовалась этим завещанием. Скажи, пожалуйста, с какой стати тебе понадобилось звонить без моего ведома адвокату Аманды и спрашивать, каким образом можно получить деньги из ее доверительного фонда? Тебе прекрасно известно, что мне не было нужно ни гроша из ее денег даже тогда, когда мы собирались жениться!

— Ага, а ты всегда хотел одного — жениться на Аманде, так? — огрызнулась Уайт. — Я знала, что, в конце концов, настанет тот день, когда ты поймешь, что по-настоящему любил только ее. Ты женился на мне лишь потому, что я была ее лучшей подругой, существом, самым близким твоей драгоценной Аманде.

Джефф не мог узнать женщину, рыдавшую перед ним на постели в гостиничном номере. Неужели она действительно усомнилась в его любви к ней? И поэтому позвонила адвокату? Или она вознамерилась расстаться с ним и забрать себе половину наследства? Хантер готов был отдать ей все деньги, которые она попросит, до последнего цента. Он хотел одного: чтобы она вела себя так, как должна вести себя его жена, самый близкий, как он думал, человек.

— Меган, рассказывай, зачем ты звонила этому адвокату? — потребовал он. — Ты должна была обратиться ко мне. Неужели ты не представляешь, как жутко выглядит твой поступок после того, как они нашли останки Аманды?

Уайт зарылась головой в подушку, оставляя пятна туши на накрахмаленном до хруста белом полотне.

— Это всего один звонок. Я не думала о шоу и уж точно не имела никакого представления о том, что они обнаружат останки Аманды именно сегодня!

— Они нашли ее кольца. Аманда мертва. Все эти годы ты твердила мне о том, что она наверняка живет в свое удовольствие где-нибудь очень далеко. Должна же ты хоть что-то чувствовать!

Теперь уже в голосе Меган чувствовалось больше силы:

— О, конечно, я способна на чувства! Аманда действительно была моей самой близкой подругой. Ты, наверное, слышал, как продюсеры допрашивали меня по поводу той дурацкой ссоры, которая произошла у нас с ней из-за этих тренировочных костюмов? Мне было совершенно все равно, воспользуется ли Аманда этой идеей или нет. Я искала предлог для того, чтобы поссориться с ней, потому что она выходила за тебя замуж. Неужели ты ничего не понял после всех этих лет? Я влюбилась в тебя еще в колледже, и мне пришлось наблюдать за вами, изображать радость по поводу того, что ты полюбил ее. Ты меня выбрал только потому, что ее не стало.

Джефф никогда не видел жену в подобном расстройстве.

— Это совсем не так, Меган, — возразил он. — Аманда была... нет, мы были с ней такими разными... Люди меняются. Мне никогда не было с ней так хорошо, как с тобой. Но ты все равно должна сказать мне, почему позвонила этому адвокату.

— Обещаю, что скажу! Но я звонила совсем не по тому поводу, о котором ты подумал. Только подожди немного!

В дверь постучали. Уайт подошла к ней и посмотрела в глазок, а потом обеими руками утерла лицо.

— Это Кейт. Я сказала, чтобы она заглянула к нам перед обедом. А теперь, прошу тебя, перестань кричать и докажи, что хотя бы немного веришь мне!

Владевшая Меган вспышка эмоций утихла буквально за мгновение, и она снова сделалась прежней — спокойной и уравновешенной. Джефф уже не знал, во что верить.

Пять лет назад, собираясь жениться на Аманде, он переживал из-за того, что не так хорошо знает ее, как хотелось бы. Теперь же, захлестнутый ошеломляющим валом сегодняшних новостей, он усомнился, что действительно знает Меган.

61

Сандра Пирс подавила невольную дрожь, когда ее сын Генри подтвердил дежурной официантке: да, они заказывали столик на четверых. Все эти годы она понимала, что с Амандой произошло нечто ужасное. Вопреки тому, во что хотели верить полиция и публика, Аманда никогда не позволила бы себе сбежать подобным образом. Однако в глубине души миссис Пирс все-таки питала слабую надежду на то, что они еще увидят ее младшую дочь живой — и вновь усядутся за стол впятером.

Уолтер что-то говорил по поводу стойки бара, служившей также аквариумом, когда Сандра заметила группу знакомых лиц, расположившихся в задней части зала.

Она охнула, и Шарлотта немедленно схватила ее за руку.

— Мама, с тобой все в порядке?

Уолтер, Шарлотта и Генри проследили за направлением взгляда Сандры. Там сидел Джефф Хантер с предательницей Меган, а рядом с ними находились Кейт и Остин. Миссис Пирс не могла отвести глаз от Джеффа. Когда он поднял свой бокал с водой, Сандра представила себе, как эти самые пальцы стискивают горло ее дочери.

— Видеть его не могу, — прошипела она. — Он убил Аманду, я это знаю!

Официантка явно расслышала ее слова.

— Поменять вам столик? — спросила она. — Есть еще один свободный в другом конце зала.

Ощутив умиротворяющее прикосновение к своей спине, Сандра повернулась и увидела обращенные к ней ласковые глаза Уолтера.

— А знаете что? — проговорил он. — Я почувствовал желание съесть стейк. Не возражаете, если мы перейдем на другую сторону улицы? Пока мы будем идти, портье закажет нам столик.

Когда они вышли из отеля, Генри указал на великолепный закат, начавший расцвечивать небо пурпуром и золотом. Аманда любила закаты и именно поэтому захотела заключить брак на пляже.

Сандра ощутила на своем плече сильную руку Уолтера.

— Я никогда не успокоюсь, пока мы не найдем убийцу Аманды, — проговорил он. — Но сегодняшний вечер предназначен всей нашей семье. И мы обязаны помянуть Аманду в мире.

И они пошли обедать так, как подобает единой семье.

Джефф Хантер заметил, что семейство Пирс отошло от столика дежурной и направилось к выходу. Он прекрасно видел на лице Сандры выражение, приличествующее одновременно прокурору, судье и палачу.

Как знать, не смотрит ли он сам на Меган подобным взглядом? Ему хотелось встать посреди ресторана и закричать во всю глотку: «Я этого не делал!»

В его кармане прожужжал телефон. Пришло сообщение от Ника:

«Бока — прекрасное место, но мне хотелось бы сегодня быть с вами, ребята. Надеюсь, у тебя все хорошо, мужик».

Хантер готов был сказать Янгу, как ему повезло, что он уехал. Совместный обед оказался ужасной идеей. Остину было явно скучно без Ника, а сидевшая рядом с ним Кейт потихоньку отодвигалась все дальше и дальше, вспоминая его неловкие ухаживания студенческой поры. Меган пила одну только воду и молчала, а самому Джеффу больше всего хотелось уйти из-за этого стола и все-таки добиться от жены ответа, зачем ей понадобилось расспрашивать адвоката Аманды о завещании. Неужели это план Меган? Убрать со своего пути Аманду, выйти за него и растратить чертово наследство? Сам он не мог даже помыслить о чем-то подобном.

Пока они молча ели, Хантеру показалось, что он заметил мужчину, разглядывавшего их с улицы. «А как же иначе, — подумал Джефф, — полиция уже присматривает за мной!»

На самом деле этот посторонний наблюдатель не был полисменом. Джереми Кэрролл последовал за Джеффом и Меган до лифта и проследил, как менялись цифры этажей, пока кабинка не остановилась на нужном. Поднявшись туда, фотограф услышал громкие голоса, но тут же заметил какого-то мужчину. Привлекать к себе внимание, показываясь в этом же коридоре, не стоило, поэтому Кэрролл вернулся вниз, в вестибюль. Он подождал там, пока снова не увидел Меган и Джеффа, за которыми на этот раз шла Кейт. Фотограф ощутил воцарившуюся в их отношениях прохладу. Не знающий слов язык тела рассказал ему все.

Он легко прочитал настроение семейства Пирс. Охваченные явным унынием и печалью, они вошли в морской ресторан. Подобное настроение, конечно, было вызвано печальной новостью про Аманду. Однако спустя считаные минуты семья покинула ресторан с еще более горестным видом. Когда они вышли на улицу, Джереми оказался перед выбором: за кем следить, за родственниками или гостями? Ответ показался ему очевидным, однако теперь он сомневался в собственной правоте. Между Меган и Джеффом сохранялась напряженность, однокашник мужского пола явно скучал, а однокашница грустила. Не на что смотреть.

И тут Кэрролл заметил еще одно знакомое лицо. По вестибюлю шел отец Лори, так напугавший его во время первой встречи. Фотограф зашел за пальму и проводил взглядом пожилого человека, направлявшегося по дорожке к итальянскому ресторану. Как только он исчез из виду, Джереми пошел в ту же сторону и увидел через окно, что старик присоединяется к Лори Моран и небольшой компании, расположившейся за просторным круглым столом в дальнем конце зала.

Лори просила его снять участников ее шоу. Однако она не запрещала Джереми фотографировать себя и своих друзей. К тому же, часть это его работы или нет, в том, что он стоит здесь и делает снимки, не было ничего противозаконного.

Он сменил объектив на более подходящий для больших расстояний и, как только начал снимать, уже не мог остановиться. Молодая черноволосая женщина показалась ему великолепной. А еще рядом с Лори сидел удивительно фотогеничный мужчина. Мальчик тоже был очаровательным. В общем, новые фотографии должны были стать превосходным пополнением его коллекции.

Джереми настолько углубился в свое занятие, что даже не заметил, когда Джефф, Меган и их друзья оставили рыбный ресторан и исчезли внутри лифта.

62

Лори ощутила соль на губах, когда ночной ветер с океана дунул ей в лицо. Она закатала свои полотняные штаны повыше лодыжек, а сандалии несла в руке. Алекс Бакли держал ее за другую. Они прошли уже что-то около мили.

Как и предлагал Алекс, за обедом они обсудили все, что выяснили о деле Аманды. Свидетельства указывали не только на Джеффа, но и на Меган. Убить Аманду мог любой из них или же они оба совместно. В данной ситуации впору было подбрасывать монетку, чтобы решить, какой из вариантов верный. А потом возник вопрос, что делать дальше: продолжать расследование или выходить в эфир? Если слушаться Бретта, шоу должно было бы появиться на телеэкранах уже в этот вечер.

Когда принесли десерт, Моран уже нутром чуяла, что именно нужно делать. Ей оставалось в последний раз переговорить с Бакли, прежде чем переходить к окончательному решению.

— Я действительно думала, что мы все-таки найдем преступника прежде, чем окончим съемки, — проговорила она печальным голосом.

— Лори, всегда так получаться не может. Посмотри, как много тебе удалось сделать! Ты принесла успокоение семье, не получившей ответа от официальных инстанций. Сандра сегодня сказала мне, как благодарна она нам за окончательный ответ о судьбе ее дочери.

— Но это плохой ответ. Аманда мертва, и мы по-прежнему не знаем, кто убил ее.

— Но, во всяком случае, они получили возможность проститься с дочерью, — заметил Алекс. — Впрочем, ты, кажется, уже пришла к какому-то решению?

— Да, я решила. Завтра у нас будет последняя съемочная сессия, и ты получишь возможность выложить все, что нам известно. Можешь даже повторить кое-что из того, что только что сказал мне, — проговорила Моран с печальной улыбкой. — Идеальный способ закончить историю, у которой не нашлось конца.

Бакли остановился на месте и посмотрел ей в глаза.

— Кстати, о моем дальнейшем участии в программе... Мне нужно кое-что сказать тебе.

— Зловещее начало, — насторожилась женщина.

«Наверное, отец все-таки прав, — подумала она. — Я сказала ему, что у нас с Алексом все в порядке, но возможно, что ошиблась».

— Вовсе нет, — отозвался ее друг. — Однако я не всегда буду иметь возможность поработать над шоу...

— Это из-за наших...

— Нет, что ты! Просто так получается. Мне приятно отлучиться из Нью-Йорка на несколько дней и провести их в твоем обществе, но менять расписание подчас очень сложно. Пока получалось, но так будет не всегда.

Моран трудно было представить себе, как она будет делать шоу без Алекса. А сразу после этого она попыталась представить, как этот факт повлияет на их отношения.

Ей хотелось, чтобы Бакли не заметил, насколько она разочарована.

— Ты хочешь сказать, что судьи не способны застопорить колеса правосудия, чтобы ты мог побыть несколько дней телезвездой?

— И не надейся, — ответил Алекс.

От его улыбки сердце Лори заколотилось. Она покрепче ухватила его за руку, и они пошли дальше по берегу.

— Бретт будет пребывать в полном расстройстве, пока мне не удастся найти такого же обаятельного ведущего, как ты.

— Ну, это невозможно, как ты сама понимаешь, — сухо отметил Бакли. — Однако у меня есть кое-кто на примете. Твоему Бретту пора понять, что важнейшим элементом шоу являешься именно ты.

* * *

Они уже возвращались назад к отелю, когда Моран ощутила, как завибрировал телефон в ее кармане. «Если это опять Бретт, — подумала она, — зашвырну эту штуковину в океан». На экране и правда был нью-йоркский номер, однако звонил не ее начальник.

— Лори, — ответила женщина.

— О, хорошо, что я дозвонился! — послышался в трубке мужской голос. — Простите за поздний звонок. Говорит Митчслл Лэндс.

Моран не сразу вспомнила, что именно этот адвокат составлял брачный контракт и завещание Аманды.

— Ой, привет, Митчелл. Вы засиживаетесь на работе допоздна! — отозвалась она и шепотом извинилась перед Алексом. По большому счету ей не следовало бы отвечать на звонок.

— Увы, такова жизнь адвоката, — сказал Лэндс.

— Должно быть, вы звоните, потому что узнали ужасные новости, открывшиеся в деле Аманды. Мне очень жаль.

— Не хотелось бы говорить, однако представитель моей профессии волей-неволей привыкает иметь дело со смертью. Мне ужасно жаль бедных Сандру и Уолтера. Они, должно быть, убиты горем.

— Действительно. Но чем я могу помочь вам? — спросила Лори.

— Ничем... просто весь вечер меня беспокоила одна мысль, и я, наконец, решился позвонить вам. Речь идет о Джеффе Хантере. Он сказал мне, что принимает участие в вашем шоу.

— Вы говорили с Джеффом? — Моран остановилась, а на лице Алекса появилось озабоченное выражение.

— Да, я позвонил ему сразу же, как только узнал об обнаружении останков Аманды. Мне показалось, что следует сообщить ему о необходимых шагах для вступления в наследство Аманды.

— Не хочу оспаривать вашу тактику, Митчелл, но не слишком ли вы поторопились? Личность усопшей еще не установлена в судебном порядке.

— Я понимаю это и обычно так не поступаю. Однако поскольку, как мне показалось, существует потребность в разделении фонда, я решил, что не будет беды, если я запущу процесс. Впрочем, Хантер сказал мне, что его допрашивали на вашем шоу. Вы считаете Джеффа подозреваемым? В таком случае родители Аманды имеют право вмешаться и заморозить средства до завершения расследования. Мне совершенно не хочется в такое время забивать им голову юридическими вопросами, однако, как я уже сказал, мысль эта беспокоила меня весь вечер. Может быть, мне все-таки стоило позвонить Джеффу.

— Откуда такая срочность? Мне казалось, что Джефф на самом деле никогда не намеревался воспользоваться завещанием?

— Не намеревался. И, по-моему, не намеревается. Поэтому я слегка удивился, когда утром мне позвонили с вопросом об этом наследстве.

— Джефф позвонил вам сегодня утром с вопросами о завещании? — удивилась Моран, а глаза слышавшего разговор Алекса округлились.

— Не Джефф, — ответил Лэндс. — Его жена, Меган.

Подозрения Лори оправдались.

— Меган расспрашивала о наследстве? — переспросила она. — И когда же это было?

— Сразу, как только я пришел на работу, в девять утра.

В это время даже родители Аманды не знали о том, что ее тело нашлось. Лори вспомнила, как детектив Хенсон говорила, что анонимный звонок могла сделать и женщина — с учетом того, насколько легко приобрести исказитель голоса.

— И она уже знала о том, что останки Аманды найдены? — уточнила Моран.

— Прошу прощения, нет. Кажется, я выразился недостаточно ясно. Жена Джеффа позвонила еще до выпуска новостей. Ее интересовал процесс вступления Джеффа в наследство — каким образом Аманду можно объявить юридически мертвой. Она спрашивала, какие для этого нужны действия и в какой последовательности. Я сказал, что им придется нанять собственного адвоката, поскольку я представляю усопшую. Так что после того, как известие прозвучало в новостях, я позвонил Джеффу как наследнику, чтобы сообщить о том, что, после того как будет подписано свидетельство о смерти, ему не придется подавать декларацию.

— И как Джефф воспринял эту новость?

— В том-то и дело! Он показался мне очень расстроенным и был крайне удивлен, когда я рассказал ему об утреннем звонке Меган. Не думаю, чтобы у него было самое отдаленное представление о том, зачем ей потребовалось это делать. То есть она звонила по собственной инициативе. Поэтому мне кажется, что его можно уже исключить из числа подозреваемых, однако я решил для верности связаться с вами.

— И когда вы разговаривали с Джеффом?

— Несколько часов назад. Чуть раньше пяти.

Попрощавшись с адвокатом, Лори повернулась к Алексу:

— Мы думали, что можно не спешить с обращением в полицию по поводу Меган, однако сегодня утром она звонила Митчеллу Лэндсу и расспрашивала его о наследстве. После чего уже сам Лэндс звонил Джеффу.

Как обычно, Бакли сразу же понял ее мысль:

— Это означает, что Джефф скорее всего уже поговорил с Меган по этому поводу. Она уже знает, что выглядит виновной в наших глазах. Придется обратиться к Хенсон.

— Я попрошу папу сделать это. Хенсон доверяет ему больше, чем нам с тобой. Однако придется позвонить прямо сейчас.

63

Как и ожидала Меган, Джефф набросился на нее сразу же, едва они снова оказались вдвоем в своем номере.

— Почему ты говоришь мне, что я должен ждать? — потребовал он ответа. — Пытаешься выкроить себе время, чтобы сочинить какую-нибудь ложь?

— Я *никогда* не буду лгать тебе, — ответила Уайт. — Просто я не могу говорить на эту тему сейчас. Не в этой обстановке.

— Скажи, зачем тебе приспичило звонить адвокату сегодня утром? — настаивал на своем Хантер. — После всех лет. Всего за несколько часов до того, как мы узнали о найденном теле. Твой поступок просто не умещается у меня в голове.

— Говорю тебе, у меня есть причина...

— Тогда назови ее!

— Перестань кричать на меня!

— Меган, я задал тебе один, очень простой вопрос и заслуживаю ответа.

Джефф не поверил своим глазам, когда его жена вскочила, схватила свой кошелек и вылетела из комнаты, захлопнув за собой дверь и оставив его в молчании.

То короткое время, которое Уайт находилась в кабинке лифта, она использовала для того, чтобы вытереть слезы с лица и отдышаться. Они с мужем ссорились очень редко, и никому из них еще не случалось оставлять другого в недоумении, однако она не могла представить себе другой способ сохранить нормальное давление. Доктор уже велел ей избегать ненужных волнений.

Да уж, надо постараться, подумала она, опуская ладонь на собственный живот. Меган никак не могла понять, чувствует уже ребенок ее прикосновение или нет, однако этот жест успокаивал хотя бы ее саму. «Не волнуйся, — мысленно сказала она будущему малышу, — все будет хорошо. Как только твой отец придет в себя, я вернусь в наш номер. Он поверит моему слову, я в этом не сомневаюсь». Меган намеревалась донести новость до Джеффа сразу же, как только они окажутся в Нью-Йорке. Она хотела, чтобы ее ребенок ничем не был связан с этим отелем, и дожидалась идеального мгновения. И все же ей не следовало утром звонить этому адвокату. Поступок этот выглядел ужасно, тем более полиция нашла Аманду всего лишь несколько часов спустя. Не стоит удивляться, что Джефф взбесился и потребовал объяснений.

Женщина повернула назад к лифту, чтобы рассказать мужу правду, хотя этот момент ничем не напоминал задуманный ею.

Тут загудел сотовый, извещая о приходе сообщения. «От работы никуда не сбежать, — подумалось ей. — И как я смогу с ребенком быть доступной круглые сутки?» Однако писал не клиент.

В адресной строчке значилось: «Кейт».

Уайт раскрыла текст.

«*Привет. Не хотела говорить перед всеми за столом, однако мне нужно рассказать тебе кое-что важное о Джеффе. Мне кажется, телевизионщики пытаются припереть его к стенке. Жду тебя у причала за отелем, чтоб не столкнуться ни с кем из них*».

«*Отлично,* — набрала Меган в ответ. Джефф получит еще несколько минут, чтобы успокоиться перед их разговором. — *Иду*».

64

Детектив Марлин Хенсон уютно устроилась на коврике в собственном логове и позволила двум своим большим пуделям прыгнуть на себя. Двум сестричкам, Кэгни и Лэйси. В дни, когда ее дочь Тэйлор жила у отца, эти две энергичные девицы давали Марлин повод возвращаться домой.

Их восторг по поводу возвращения мамочки домой несколько утих, и обе собаки бросились в гостиную, чтобы продолжить привычную борьбу. Хенсон пережила трудные времена, когда взяла обоих щенков, и тут же приучилась не оставлять ничего бьющегося ниже нескольких футов от пола. Невольной выгодой оказалось то, что в доме существенно уменьшилось количество безделушек.

Марлин ощутила, что глаза ее сами собой закрываются. Она любила свою работу, однако сегодня на ее долю выпал удивительно трудный день.

Она унаследовала дело Аманды Пирс — уже висячее — три года назад, когда спец по убийствам детектив Мартин Купер умер во сне от аневризмы, и уже на следующей неделе связалась с Сандрой и Уолтером. Она сообщила им, что за прошедшие годы новых материалов по делу не обнаружено, однако она, Марлин, бдит вместе со всей полицейской частью и готова денно и нощно продолжить расследование в том случае, если положение дел изменится. И вот вчера ночью ей позвонили насчет тела. Начиная с этого мгновения она проработала больше двадцати часов кряду.

Следователь начинала уже придремывать прямо на полу, когда на кофейном столике зазвонил мобильник. Судя по коду, звонили с нью-йоркского номера.

— Хенсон, — проговорила женщина, стараясь подавить зевок.

— Детектив, это Лео Фэрли.

«Бывший коп, — подумала Марлин. — Бесценный человек, когда надо общаться с его дочерью и ее командой». Обычно она не доверяла прессе, но этому человеку верила, а он явно не сомневался в людях, работавших на шоу.

— Привет, Лео. Чем могу помочь? — спросила детектив.

— Я знаю, что вы оставили офицеров следить за Джеффом, однако нужно, чтобы они приглядывали и за его женой, Меган Уайт. Лори получила несколько фотографий от того практиканта, о котором мы вам говорили...

Марлин немедленно села.

— Что она сделала? — переспросила она. Вот и доверяй им!

— Она подумала, что скорее заставит его раскрыться, если придет в его дом одна. Я ждал снаружи и волновался за нее. Но она оказалась права. Ее идея сработала. Джереми предоставил ей некоторые неизвестные нам прежде факты.

Хенсон ощутила приступ головной боли, когда Фэрли начал описывать ей фото, на которых Меган с любовью глядела на Джеффа, а потом дралась с Амандой в ту самую ночь, когда та пропала. Но к тому времени, когда Лео добрался до телефонного звонка Уайт адвокату Аманды и до ее связи с девушкой, убитой в Колби, ее уже одолела подлинная мигрень.

— Где вы сейчас? — спросил отец Лори. — Вы знаете, где находятся Джефф и Меган?

— Я сейчас дома, но, по-моему, все в порядке. Последнее, что мне было известно: они обедали со своими друзьями, — рассказала его собеседница. — Позвольте мне связаться с моим главным агентом.

Она повесила трубку, не прощаясь, набрала номер сержанта Джима Питерса.

— А я думал, что ты уже без задних ног, — проговорил Джим.

— Я тоже надеялась, — вздохнула Марлин и добавила про себя: «Не свезло».

— Какое тут превосходное место! — продолжил ее коллега. — Ей-богу, как-то некрасиво с нашей стороны зарабатывать отгулы за переработку в таком прекрасном уголке! Мне почти стыдно. Почти.

— Ты еще наблюдаешь за Хантером?

— Ну да. После обеда они с женой вернулись в свой номер. Если я увижу, что он ушел, нырну на лестницу и вызову Таннера, который дежурит внизу у лифтов. Мы поменялись ради перемены пейзажа.

— Так, значит, они сейчас оба в номере: и Джефф, и его жена?

— Нет, только он один. У них случилась разборка, и она буквально секунду назад, как пробка, вылетела из номера. Я успел выскочить на лестничную площадку, чтобы она меня не заметила.

— И куда же она пошла? Таннер следит за ней?

— Нет, как ты говорила, мы ведем только мужа.

— Вели. И ведем. Только позови Таннера, ладно? Передай ему, пусть последит за женой, а ты не отводи глаз от Джеффа. Не упустите их обоих.

Марлин переоделась в чистую рабочую одежду и уже начала обуваться, когда позвонил сержант Питерс.

— Вы нашли Меган? — спросила она.

— Нет. Я только что поговорил с Таннером. Он говорит, что видел, как она прошла через вестибюль, но не имеет представления о том, куда она направилась потом.

65

Джереми посмотрел на часы, не зная, как долго ему нужно оставаться в отеле. Он настолько увлекся съемкой Лори и ее друзей, что каким-то образом начисто забыл про свадебных гостей. К тому времени, когда он вернулся к рыбному ресторану, их столик уже оказался свободным.

Фотограф обошел остальные бары, но без успеха и поэтому вышел на пляж. Несколько парочек миновали его, направляясь на ночную прогулку, однако знакомых среди них не наблюдалось. Луна в эту ночь очаровывала все вокруг особенным образом. Как же давно он не практиковался в ночной съемке!..

Выставив длинную экспозицию, Кэрролл направил объектив в сторону океана и щелкнул, после чего проверил цифровое изображение на экранчике фотоаппарата. Превосходно. Мастерства он не утратил. В такой темноте большинство фотографов в состоянии зафиксировать либо полную темноту, либо яркую, резкую вспышку. Однако длинная экспозиция позволила Джереми снять и океанские волны, и россыпь звезд над водой. Неплохо.

Он уже повернул к отелю, когда заметил шедшую ему навстречу женщину. Она была одна, ее длинные волнистые волосы трепал ветер. И фотограф был почти уверен в том, что это Меган.

Кэрролл отвернулся, когда она проходила мимо, а потом дал ей отойти на сотню футов, после чего осторожно последовал за ней. На таком расстоянии она его не заметит.

66

Меган Уайт опустилась на край принадлежавшего отелю причала, свесив ноги над водой. По пути к концу пирса она миновала несколько превосходных кораблей. Лунный свет изысканно ложился на синюю гладь океана, однако глаза женщины были обращены к экрану сотового. Она была в полном недоумении насчет того, что написать мужу.

Пришло сообщение. Снова Джефф. «*Где ты? Надо поговорить*».

Может быть, ей в конечном счете и незачем встречаться с Кейт. Лучше сперва разобраться с мужем. Однако Кейт что-то известно о намерении телевизионщиков раздавить Джеффа. А если так, Меган следует выяснить подробности.

Женщина оглянулась в сторону трех пришвартованных суденышек. В ночной темноте она не могла ничего сказать о них, кроме того, что они были довольно большими. Наверное, их следовало бы считать яхтами, однако из всех этих мореходных тонкостей Меган знала только то, что услышала от капитана их суденышка во время рыболовной экскурсии на Багамских островах.

Что за удачное тогда было приключение! Уайт вспомнила их неофициальный медовый месяц. Джефф организовал его во всех подробностях, начиная от ужинов с шампанским и кончая купаниями под луной. Не надо заставлять его так долго ждать. Кейт можно позвонить и из номера. Меган уже собиралась встать, когда боковым зрением заметила появившуюся на пирсе фигуру.

Она повернулась, рассчитывая увидеть Кейт.

И хотя это была не Кейт, Уайт невольно улыбнулась. Однако когда человек направился к ней, она сразу поняла: что-то не так. Она знала его не один год, но никогда еще не видела подобного выражения на его лице. Меган где-то читала, что у беременных женщин возникает некая разновидность шестого чувства, предупреждающая об опасности, угрожающей еще не рожденному ребенку. Что-то не так. Его не должно быть здесь.

Если шестое чувство не обманывало, возможности обойти его и вернуться в отель не было. На узком причале человек перекрывал ей дорогу. Изобразив, что беззаботно приветствует его, она начала набирать 911, однако он шел к ней слишком быстро и решительно. Позвонить Меган не успеет. И если она все правильно поняла, он немедленно выбросит ее телефон. Ведь с его помощью нетрудно определить, где именно она находится.

Повинуясь порыву, женщина изменила свой план и осторожно опустила телефон между двух досок пирса, на поддерживающую их перекладину. Оставалось надеяться на то, что он не заметит ее движения.

Меган встала, решив, что так ей будет легче сопротивляться.

— Привет, — проговорила она, всеми фибрами души надеясь, что инстинкт обманывает ее.

И тут она заметила в его руке пистолет. Сопротивление было бессмысленно. Прикрывая одной рукой живот, она прошла по его указанию вдоль пирса, а потом на яхту. Ощутив укол в шею, женщина принялась молить, чтобы кто-то сумел найти ее телефон. И понять, что с ней происходит.

А потом на нее обрушилась тьма.

67

Джефф отчаянно жал на кнопку лифта. Ему не следовало позволять Меган убегать подобным образом. Он должен был последовать за ней из комнаты. И преградить путь в коридоре, если бы это потребовалось. Пока кабинка по-черепашьи ползла вниз, он заново проигрывал в уме всю их ссору. Зачем ему понадобилось так орать на нее? Он даже обвинил жену в бесчувственности. Он поступил жестоко, зная, что Меган не свойственно обнаруживать свои эмоции, как это обычно делают люди.

Когда двери лифта раздвинулись, Хантер бросился в вестибюль, надеясь где-то увидеть супругу. «Я не должен был позволять себе даже на мгновение усомниться в ней!» — выбивал пульс у него в голове. Он в отличие от всех прочих прекрасно знал, насколько больно, когда тебя подозревают в убийстве человека. Но в какую сторону могла убежать Меган? Джефф то слал ей сообщения, то звонил, но она не отвечала. «Пусть хоть узнает, в каком я ужасе», — подумал он.

Ему казалось, что он заново переживает тот же кошмар, воспроизводит те же поступки, те же шаги, которые сделал, когда они впервые узнали об исчезновении Аманды.

Бассейны. Бутики. Променад. «Нет, — мысленно взвыл Хантер, — нельзя, чтобы это повторилось!»

Но, разыскивая свою жену в тех же местах, где он искал Аманду, Джефф понял, как много общего было между этими двумя женщинами, хотя и только при поверхностном суждении. Да, обе они были умны, обе стремились к совершенству во всем, но насколько же различались внутренне...

Джефф и Аманда оказались вместе именно в то мгновение их жизни, когда подобные отношения имели смысл. Она болела и нуждалась в добром и верном человеке возле себя. И Хантер, активно старавшийся вписаться в юридическую систему, будучи милым и покладистым, подчас нуждался в импульсе от этой женщины, чтобы стать более напористым и уверенным в себе.

Однако в отличие от Аманды Меган всегда воспринимала его таким, каков он есть. И никогда... никогда не просила измениться. Он по-настоящему любил ее. Им суждено быть вместе, и не только на каком-то этапе жизни, а на всем ее протяжении.

«Но как вообще могла она бросить меня таким вот образом?» — недоумевал Джефф.

Он позвонил жене еще раз. Ответа не было. Правда, у Меган была привычка переводить телефон на виброрежим, и она могла вообще не слышать звонка.

В тот момент, когда Хантер собирался сбросить вызов, на экране вспыхнула иконка, предлагавшая присоединиться к одному из доступных беспроводных каналов, и у него возникла идея. У Меган на мобильнике всегда была включена горячая точка, так как она не доверяла надежности гостиничных серверов, когда речь шла о конфиденциальной информации ее клиентов. Джефф был уверен, что диаметр точки — около ста пятидесяти футов[1]. И если он будет искать по имени канала — «МеганБруклин», — получит возможность найти жену.

Это имя всплыло, как раз когда Хантер собирался с пляжа повернуть обратно к отелю. Он огляделся по сторонам, насколько позволял взгляд, отыскивая фигуру, которая могла бы принадлежать его супруге. Вместо нее молодой человек заметил пожилую пару, гулявшую, взявшись за руки, и у него заныло под ложечкой. Люди эти явно любили друг друга. Ему хотелось бы так же гулять бок о бок с Меган до восьмидесяти лет.

Он шел вперед через песок, и огни отеля тускнели за его спиной.

Джефф двигался на север, считая шаги, пока, наконец, радиосигнал мобильника Меган не пропал. Сорок пять шагов, примерно сто двадцать три фута. Вернувшись к месту, где заметил сигнал, Хантер пошел на юг. На этот раз он сделал всего одиннадцать шагов, примерно тридцать три фута. Вернувшись к начальной точке, Джефф прошел тридцать шагов в сторону суши, прежде чем сигнал вновь заглох. Никаких признаков Меган.

Оставалось одно направление — океан. На мгновение поддавшись панике, мужчина быстро сообразил, что телефон жены не способен давать сигнал со дна морского. Оставался только причал, однако на нем никого не было. Тем не менее нельзя было не проверить единственное оставшееся место.

Хантер прошел пирс во всю длину, но ничего не заметил. Оставшись посреди этой тьмы в одиночестве, он выкрикнул имя супруги:

---

[1] Около 45 м.

— Меган!

Его телефон еще принимал ее сигнал. Где же она?

Джефф уже собирался вернуться к отелю, как вдруг заметил: что-то блеснуло между досками причала, отражая лунный свет.

Протянув руку, он нащупал в щели металлический краешек. Торец сотового телефона, принадлежавшего Меган.

Он нашел источник сигнала, но не жену.

68

Джефф немедленно понял, что телефон оказался здесь не случайно. Его оставили здесь, между досками, преднамеренно, в этом можно было не сомневаться. Но почему?

Все недавние сообщения в мобильнике Меган были присланы им самим, просившим ее вернуться в их номер. Телефонные вызовы тоже не представляли интереса, и Хантер принялся листать почту. Последним, кроме него, адресатом, которому писала его жена, была Кейт. Она считала, что телевизионщики намерены выставить его главным подозреваемым.

«Это не шутка, — подумал он. — Она хотела встретиться с Меган на причале. Но где же они тогда?» Первым делом Джефф подумал, что у него нет номера Кейт, однако потом заглянул в контакты Меган.

Конечно, у нее все было в идеальном порядке. Характерно для Меган.

Кейт ответила после двух звонков, однако ожидание показалось молодому человеку вечностью. Когда в трубке наконец раздался голос Фултон, услышал вдали звуки телепередачи.

— Кейт, это Джефф. Могу я поговорить с Меган? — попросил он.

— Гм, а я думала, что это звонит она. Это ведь ее номер, — удивилась женщина.

— У меня ее телефон. Значит, Меган не у тебя?

— О чем ты говоришь? Я не видела ее после обеда.

— Ты послала сообщение с предложением встретиться на причале. Я нашел там только ее телефон, но не ее саму.

— Мне очень жаль, Джефф, но я ничего не писала Меган и вообще не выходила из номера после того, как вернулась сюда, — сказала Кейт уже явно встревоженным тоном. — И если она с кем-то встречалась на причале, то не со мной.

Сбросив звонок, Хантер понял, что ему не к кому обратиться. Кейт, возможно, действительно не посылала его жене это сообщение, но тот, кто это сделал, был прав: он, Джефф, оказался основным подозреваемым. Он мог уже представить себе реакцию детективов на сообщение о том, что его жена пропала. Ему никто не поверит. Они и так считают, что именно он убил Аманду. А теперь они решат, что он поднял руку и на Меган.

Но почему Меган оставила здесь свой телефон? Чего он еще не понял?

Хантер принялся просматривать ее письма. Все они как будто бы касались ее работы, но потом он заметил еще одно, присланное вчера из клиники.

Джефф раскрыл сообщение. Письмо подписано доктором Джейн Монтегю, акушером-гинекологом. Он уже собирался закрыть этот текст, когда его взгляд зацепился за одно слово.

«Привет, Меган, медсестра передала мне ваш вопрос о влиянии сверхбыстрого метаболизма на вашу беременность. Отлично, что усвоение лекарственных средств происходит в вашем организме быстрее, чем у других людей. Это только поможет вашим врачам подобрать верную дозу, когда лекарство понадобится. И на ребенке это совершенно не скажется!

Всего хорошего, доктор М».

На ее беременность. На ребенке. Значит, у них будет ребенок.

Теперь все становилось понятно. Вот почему Меган так стремилась оставить в прошлом это телевизионное шоу! И почему она не хотела сообщать ему о своей беременности до тех пор, пока это дурацкое расследование не завершится.

Хантер понял теперь и причину, заставившую его жену позвонить юристу Аманды. Теперь, с пополнением семьи, им с Меган конечно же понадобится квартира побольше.

Джефф не хотел пользоваться деньгами Аманды, однако он был упомянут в ее завещании, и с этим фактом приходилось считаться. И если он в конечном итоге все-таки унаследует деньги погибшей невесты, разве обращение Меган к адвокату не становится оправданным, особенно после того как станет известно, что у них будет ребенок? Тот факт, что тело Аманды было обнаружено всего несколько часов спустя, является лишь прискорбным совпадением, и ничем иным. И все же производит очень неприятное впечатление.

Слезы защипали глаза Джеффа. Он не мог поверить тому, что пару часов назад сомневался в жене.

Потом Хантер посмотрел на зажатый в руке телефон.

Он еще раз просмотрел тексты, телефонные звонки и сообщения, надеясь почерпнуть в них какой-то намек на разгадку. Что же Меган хотела этим сказать?

Место. Так вот на что она намекала. Важно было не содержание телефона, а его место. Значит, на этом причале случилось нечто ужасное.

Мужчина вздрогнул, когда телефон жены зазвонил в его руке. «Пожалуйста, пусть это будет она! О, если бы только этот кошмар закончился!»

— Алло? — произнес Хантер.

На противоположном конце линии после недолгой паузы прозвучало:

— Это Джефф? Говорит Лори Моран. Простите за поздний звонок, однако я куда-то задевала подписанный Меган договор с шоу. Мой босс будет вне себя. Не согласится ли Меган быстро подписать новый экземпляр? Тогда я хотя бы усну спокойно.

— Меган со мной нет. Она... исчезла, — ответил молодой человек. — Пожалуйста, помогите мне найти ее!

69

После того как разговор закончился, Лори повернулась лицом к следователю.

— Так он сказал, что она... *исчезла*? — Детектив Хенсон явно не была обрадована таким поворотом событий, а именно всем, что ей пришлось узнать за последние полчаса. Во-первых, тем, что Моран располагала свидетельствами, которыми не поделилась с полицией. Потом тем, что ее офицеры следили за Джеффом, но не за Меган. А теперь еще и тем, что провалился их план найти Меган так, чтобы не вспугнуть ее.

Марлин дала знак находившемуся возле нее офицеру — она обращалась к нему по фамилии Таннер — передать ей его рацию и спросила в нее:

— Питерс, ты еще ведешь Хантера?

— Да, он сейчас на пляже. Почти позади отеля. Только что закончил говорить по телефону.

— Да, это мы вызывали его жену. Он сказал, что она исчезла.

— И что я должен сделать?

— Приведите его сюда — мы сейчас в вестибюле — чтобы можно было понять, что здесь вообще происходит.

Отложив рацию, Хенсон не стала скрывать своего раздражения:

— Представить себе не могу, почему вам, господа хорошие, не пришло в голову выложить мне все это еще несколько часов назад! Вы должны были передать мне эти фото в тот самый момент, когда получили их.

Лео поднял ладонь.

— Секундочку. В этом я поддержал Лори. Мы не предполагали никакой спешки. И в качестве частных лиц мы способны на то, чего не может сделать полиция. Как только начинаем сотрудничать, вступает в действие Конституция. Мы полагали, что поступаем правильно.

— Мы — это кто? — отозвалась Марлин. — Любопытно, в моем-то мире копы принадлежат к другому виду, чем репортеры и адвокаты.

Фэрли уже собирался продолжить оборону, но тут в разговор вступил Алекс:

— Думаю, что спокойствия ради можно будет сказать, что мы могли по-другому организовать прошедший день. Чем еще мы можем помочь вам?

— Можете начать с того, что выложите все, что вы пока еще скрываете от меня, — проворчала детектив.

Лори едва не начала с того, что сказать ей больше нечего, однако в следующий момент вспомнила кое-что еще:

— Да, у нас еще есть Джереми, бывший ассистентом фотографа на той злосчастной свадьбе. Я наняла его, чтобы он походил по территории отеля и поснимал наших подопечных. Фото, украдкой сделанные им пять лет назад, уже помогли нам. Я решила, что он может оказаться полезным и на этот раз.

— И где, по вашему мнению, находится в данный момент этот тип?

— Не знаю, но это нетрудно выяснить. — Моран вызвала номер Джереми, и тот немедленно ответил на звонок и подтвердил, что находится во дворе отеля. — Придите, пожалуйста, в вестибюль. Это важно, — сказала продюсер.

Они еще ждали Кэрролла, когда появился Джефф в компании мужчины, которого Хенсон представила как сержанта Питерса.

Хантер начал говорить так быстро, что его невозможно было понять. Сообщение, которое Кейт якобы послала Меган, было написано совсем не ею. Оставленный Меган на причале телефон. Меган звонила адвокату только потому, что у них будет ребенок.

Словоизвержение это ничуть не тронуло следователя Хенсон.

— Со всем этим мы разберемся, когда вы получите возможность подробно изложить свои впечатления в участке, — заявила она. — Но прежде всего, Джефф, нам надо найти вашу жену. Нехорошо, что она пропала. У нас есть к ней кое-какие вопросы. Подобная манера бегства бросает на нее тень подозрения и вины.

— Вины? В чем? — не понял Хантер. — Постойте, я думал, что вы немедленно обвините меня в ее исчезновении... а вы считаете, что Меган...

— Пока у нас есть к ней только вопросы, — проговорила Марлин, — и это означает, что нам нужно найти ее. И начать поиски мы можем с того, что вы передадите нам этот телефон.

— Нет. — Джефф недоверчиво моргнул и опустил мобильник жены в карман.

— Вы делаете ошибку, сэр, — заметила детектив.

— Это называется Четвертой поправкой[1]. Никаких обысков без ордера и оснований.

— Пока что мне кажется, что вы с Меган на пару убили Аманду, — объявила Марлин.

— Напрасно. Ситуация выглядит совершенно иначе. Пропала моя жена. Ее похитили с причала, и вы явно не верите мне. Поэтому, если она вдруг позвонит на этот номер, я хочу иметь возможность лично ответить на вызов.

---

[1] Четвертая поправка к Конституции США гласит: «Право народа на гарантии неприкосновенности личности, жилища, бумаг и имущества от необоснованных обысков и арестов не должно нарушаться, и никакие ордера не должны выдаваться иначе как при достаточных к тому основаниях, подтвержденных присягой либо заявлением, и с подробным описанием места, подлежащего обыску, и лиц или предметов, подлежащих аресту».

Лори уже собиралась вмешаться, когда заметила Кэрролла, торопливым шагом вошедшего в вестибюль и направившегося прямо к ним.

— Джереми, прошу вас, скажите мне, что вы видели Меган! — взмолилась Моран.

70

Джереми был явно испуган — взгляд его метался между Хенсон и другими офицерами. «Похоже, это полиция. А она всегда переворачивает все с ног на голову. Они подумают обо мне самое плохое», — пронеслось у него в голове.

— Все в порядке, — уверила его Лори. — Я уже сказала им, что лично пригласила вас сюда и наняла для скрытой съемки с телеобъективом. Вам что-нибудь известно о Меган?

— Я видел ее, — кивнул фотограф.

— Где? Когда?

— Примерно двадцать, а может быть, тридцать минут назад. На причале. Но я не хочу, чтобы у нее возникли какие-то неприятности из-за меня.

— Не беспокойтесь об этом, нам нужно только найти ее.

Джереми бросил новый нервный взгляд, теперь уже на Джеффа.

— Едва ли ему понравится то, что я скажу.

— Я хочу только найти мою жену, — с мольбой в голосе произнес Хантер. — Рассказывайте все, что знаете.

— Я видел ее на причале с другим мужчиной.

— Каким мужчиной? — спросил Джефф. — Куда они пошли?

— Я не знаю, кто он такой. Мне хорошо удаются ночные снимки, однако лица на них все равно различить невозможно. Они встретились на причале. А потом они сели на корабль.

— Джереми, — проговорила Лори, пытаясь сохранить внешнее спокойствие, — нам нужна вся информация, которую вы можете предоставить нам. Ситуация чревата бедой.

Кэрролл прикрыл руками свой фотоаппарат. Моран чувствовала, что он не доверяет им. Они не могли заставить его говорить или отдать им свою фотокамеру, но тут она вспомнила, каким именно образом ей удалось поладить с ним в его собственном доме.

— Вот и ваш шанс помочь Аманде, Джереми, — сказала продюсер. — Все, что вы видели, может помочь нам найти ее убийцу. Однако мы должны действовать быстро.

В глазах фотографа загорелся огонек.

— Меган сидела на причале, а мужчина этот сошел с яхты. Всего я не видел, но она последовала за ним.

Сняв камеру с шеи, Кэрролл начал перебирать отснятые кадры на цифровом экране.

— Лицо его, как я уже сказал, различить трудно, однако он выше Меган.

Лори видела только темные силуэты возле шлюпки. Джереми продолжал листать снимки, и она попросила его вернуться к одному из них, показавшемуся ей более контрастным, чем остальные.

— Вот этот, — проговорила она. — Кажется, я на нем что-то заметила.

Джереми повернул к ней экран и пояснил:

— Это белое пятно — табличка на борту, от нее отражается лунный свет. Правда, это очень хороший снимок? Поэтому я приберег его напоследок. У вас отличное чутье.

Однако Моран интересовали отнюдь не художественные достоинства снимка. Куда важнее был текст. «Сначала дамы».

— «Сначала дамы», — прочитала Лори вслух. — Почему это название настолько мне знакомо?

Джефф смотрел на снимки из-за ее плеча.

— Это же табличка Ника! — вскричал он. — Он вывешивает ее на тех яхтах, которые арендует. Значит, Меган сейчас с Ником? Но он же сейчас в Бока с клиентом...

— Выходит, что это не так, — возразила Моран. — Он только что был здесь, во всяком случае, когда Джереми делал этот снимок.

— Он прислал мне сообщение во время обеда. Отплыл еще днем.

— Значит, он или не отплывал, или вернулся, — сказала Лори. — Джереми, вы уверены в том, что Меган вошла на борт по своей воле?

Фотограф недоуменно наморщил лоб.

— Не могу сказать точно. Я умею толковать язык тела и выражений лица... однако в такой темноте и издалека? Я просто предположил, что... — Он посмотрел на Джеффа едва ли не виноватыми глазами. Конечно, Джереми решил, что Меган пришла на свидание с другим мужчиной — обладателем впечатляющего корабля.

— Не понимаю, — промолвил Хантер. — Ник — мой друг.

— А если нет, — проговорила Лори, ощущая, как становятся на место части головоломки. Она сфокусировала все свое внимание на Джеффе и Меган, потому что только у них одних имелся мотив для убийства Аманды. Джефф мог убить ее из-за денег, а Меган, чтобы не уступать ей Джеффа. Моран предполагала, что неизвестный убийца Аманды — а до нее Карли — имел что-то именно против своих жертв. Однако Лори, как никто другой, должна была понимать, что истинными объектами убийств не всегда становятся именно убитые люди. Случается, что людей убивают ради того, чтобы тем самым нанести вред кому-то третьему. Для психопата его жертвы — всего лишь пешки в той игре, которую он разыгрывает.

Убийца Грега не имел ничего против ее мужа. Он убил его, как убил бы Лори и Тимми, верша кровную месть против другого. Она вспомнила, как Грейс сказала, что Ник Янг куда более привлекателен, чем Остин. Однако Джеффу в отличие от его друзей даже не пришлось бы прикладывать усилий, чтобы затмить Ника. Когда продюсер впервые увидела Хантера, ей сразу вспомнился Грег. Он также обладал той природной непринужденностью, которой нельзя научиться и которую нельзя купить.

— Он поступает так, потому что ненавидит вас, Джефф, — сказала она. — Он ревнует. Вы были счастливы с девушками, вас любили. Все, что есть у Ника, — это его одиночество и зависть. Разве это не ясно? Ник находит утешение в обществе Остина, потому что не считает его ровней себе. Но вы, Джефф, другой. Он видит в вас угрозу. Он хочет того, что есть у вас, но не может этого получить. Когда вы учились в Колби, Ник интересовался Карли Романо?

Упоминание имени Карли пробудило в памяти Хантера какую-то искорку.

— Как я уже говорил, в кампусе она была одной из самых красивых девушек, — кивнул он. — Ею интересовались все. Но нет, Ник никак не мог убить ее. И потом, буквально минуту назад вы действовали так, будто считали Меган виновной в смерти Аманды.

— Теперь я так не считаю, — проговорила Лори. — Она ни в чем не виновата, и ей грозит беда. Детектив Хенсон, как скоро мы можем обнаружить яхту? Ник говорил мне, что она лучшая в здешних местах.

71

Янг пребывал в родной стихии: руки на руле, океанский ветер освежает лицо... Он обнаружил, что улыбается. «Сначала дамы». Обыкновенно табличка эта подразумевала многочисленных посетительниц его лодочных катаний. Он рассмеялся громче. Ни Карли, ни Аманда в море с ним не выходили. А Меган выходит. Для начала.

Три разные женщины, очень разные, однако их связывало кое-что общее: все они отвергли ухаживания Ника и польстились на этого сноба, Джеффа Хантера.

Увести Меган на яхту оказалось намного легче, чем вынудить Карли сесть в его машину, когда та возвращалась одна с вечеринки, или выманить Аманду из отеля. Для этого хватило одного сообщения, посланного с аккаунта, якобы принадлежащего Кейт.

В случае Аманды Янг не пытался прикинуться кем-то другим. Он заранее знал, что она не станет разговаривать с ним с глазу на глаз. А вот Меган была похожа на Карли. Подобные особы всегда задирали перед ним нос... словно бы он был достоин только пустякового, похожего на шутку флирта. В тот раз Аманда в «Гранд Виктории» все время высокомерно фыркала, глядя на них с Остином, пока он не сказал ей, что Джефф за ее спиной встречается с другой женщиной. И это привлекло ее внимание! Тут Ник сразу оказался на коне.

Он посмотрел на Меган Уайт, распростертую на подушках сиденья. Если бы он только знал в студенческие времена об этом самом кетамине! Тогда Карли тоже можно было бы уколоть в шею. И не пришлось бы заталкивать ее силой в машину.

Ник выключил двигатель. Они вышли на глубокую воду. Меган теперь уже была в сознании, однако оставалась совершенно обездвиженной благодаря его инъекции.

Судя по тому, что Янг читал, его жертва была сейчас частично парализованной и пребывала в некоем подобии сна, в альтернативной вселенной. Ничего, скоро пойдет на дно, а он, никем не замеченный, вернется в дом своей клиентки.

— Ну и как тебе сейчас, Меган? — поинтересовался он. Женщина моргнула, однако он знал, что движение это было непроизвольным. Она не имела никакой власти над тем, что происходит вокруг нее. — Должен тебе сказать, что если говорить о вас с Амандой, о двух примерах великой любви нашего Джеффа, я всегда отдавал предпочтение тебе. Аманда была двуличной. Она изображала симпатию ко мне, но я-то знал правду. Я даже слышал, как она однажды сказала Джеффу: «Не могу понять, как ты можешь дружить с таким непохожим на тебя человеком, как Ник, и даже считать его своим лучшим другом». Видела бы ты ее физиономию, когда я сказал ей, что Джефф крутит не только с ней. И, кстати говоря, она немедленно спросила: не с тобой ли он крутит, Меган? «С какой-то из твоих подружек», — я ей сказал. Она страсть как хотела узнать детали, однако я заставил ее подождать.

Тогда Ник сообщил Аманде, что это одна из ее подруг, чтобы посмотреть, как она будет извиваться. Он хотел убедиться в том, что все разошлись по комнатам спать, прежде чем делать свой ход. А затем он сказал Аманде, чтобы после обеда она взяла машину и подхватила его на повороте в конце длинной дороги перед отелем. После этого, предложил Янг, можно будет выпить в стейкхаусе на противоположной стороне улицы.

Но даже тогда она возражала и говорила, что можно просто посидеть в баре отеля. Однако в тот вечер распоряжалась совсем не Аманда. Ник воспроизвел в памяти свои тогдашние слова: «То, что я могу рассказать тебе о Джеффе, способно заставить тебя отменить свадьбу. И если это случится, я не хочу, чтобы обвиняли меня. Джефф — мой лучший друг. Мне очень неприятно передавать тебе то, что я знаю, однако в конечном итоге так будет лучше для вас обоих. Но я расскажу тебе то, что знаю, только вдали от курорта».

Глаза Меган были теперь закрыты.

— Я разыграл ее как младенца, — громко бахвалился похититель, получая удовлетворение от собственного голоса. — Особенно мне удался ход с кольцами. Джефф, этот идиот, который ни во что ставит деньги, оставил свой сейф открытым. И я стащил кольца, сначала в порядке шутки, а потом сообразил, что могу воспользоваться ими, чтобы бросить подозрение на него самого. Но, как и во всем прочем, я оказался слишком хорош: перестарался, пряча тело. Я думал, что его найдут через несколько недель, в крайнем случае месяцев. Но чтобы через пять лет? И даже тогда понадобился мой анонимный звонок.

По спине Янга побежал холодок предвкушения. Он нанял лодку для встречи с клиенткой в Бока-Ратоне, но теперь она служила другой цели. Полиция, как он и планировал, обнаружила тело Аманды. И, конечно же, эти тупицы нашли и кольцо. До ареста Джеффа остались считаные часы. Он привяжет груз к ногам Меган, но в конце концов ее все равно выбросит на берег. На это потребуется какое-то время, однако полиция получит ее останки, как получила кости Аманды. А Джефф остаток дней своих проведет в тюрьме.

— Я вколол тебе достаточно этой дряни для того, чтобы ты не могла пошевелиться два или три часа, — сообщил Ник Меган. — Что, пожалуй, несколько расточительно с моей стороны, потому что жить тебе остается меньше часа. — Он усмехнулся собственной шутке. — И пожалуйста, не волнуйся, я не стану душить тебя, как эту Карли. В нашей ситуации это излишне. Я просто выброшу тебя за борт, а ты не сумеешь даже чуть пошевелиться. И не сумеешь набрать воздуха в грудь, прежде чем плюхнешься в воду. Пойдешь ко дну как камень.

Меган Уайт не чувствовала ничего. Физически. Душой ее владел ужас, но тело лишилось веса, как будто она пребывала во сне. Она помнила пистолет.

Помнила яхту. Помнила укол в шею. Помнила, как очнулась на кожаных подушках, понимая, что руки ее находятся за спиной. Они не были, кажется, связаны. Они просто лежали под ней. И она не могла шевельнуться.

Не могла даже двигать глазами, иначе смотрела бы на Ника. Однако Меган едва различала его периферийным зрением. Она слышала его голос и понимала слова, но не была уверена в том, что действительно слышит их, а не галлюцинирует. Быть может, она вот-вот проснется в собственной постели в номере «Гранд Виктории». Но пока этого не случилось, ей придется признать, что все происходит взаправду.

«Я обязана спасти малыша, но как?» — с отчаянием подумала она.

Ник был уверен в себе, он явно считал, что у него в избытке времени и на поездку на дурацкой лодке, и на болтовню о своих злодеяниях. «Нет, Ник Янг, — думала Уайт, — считай, что ты проиграл». Она вспомнила письмо, полученное ею вчера по электронной почте от доктора, и дала себе безмолвную клятву: «Малыш будет жить. Надо просто собраться. Проснись, проснись наконец! Спасись. Спаси ребенка».

С каждой секундой голос Янга звучал у нее в ушах все более и более четко. Она почувствовала себя лучше.

— Я много раз думал, как проделать над тобой такую же шутку в Нью-Йорке, но так и не смог сварганить ситуацию, в которой смогу застать тебя в одиночестве посреди города, — продолжал похититель. — Послать сообщение от имени Кейт было просто. Я всего лишь создал аккаунт и написал в строке темы: «от Кейт». А эта яхта — само совершенство.

Разделавшись с Амандой, я был вынужден трусить рысцой пять миль до отеля, так как не мог позволить, чтобы меня увидели в арендованной машине. Зато на этот раз даже не вспотею.

Ник посмотрел на Меган с довольной улыбкой. Ему было невдомек, о чем она думает. Десять лет назад ей пришлось принимать болеутоляющее после удаления зубов мудрости. Она выпила таблетку, и боль прошла на полчаса, а потом вернулась обратно. Оказалось, что лекарства не действуют на нее как надо. Доктор объяснил, что ее организм устроен так, что обладает повышенным количеством печеночных энзимов, перерабатывающих определенные препараты. У нее так называемый сверхбыстрый метаболизм.

«Пусть так будет и сейчас – взмолилась женщина. — Пожалуйста, пожалуйста!» Она пошевелила пальцами за спиной и смогла сложить их в кулак, а потом пошевелила пальцами ног и почувствовала, что мышцы ее оживают. Через некоторое время женщина ощутила, что двигатель теряет ход.

— Почти приехали, — с деловой интонацией проговорил Ник.

72

Инспектор Флоридского отделения службы по охране дикой природы и рыболовству Джеймс Джексон отреагировал на поступивший вызов по поводу призрачного сёрфингиста возле Дельрей-Бич. За восемь лет патрулирования пляжей он успел убедиться в том, что скорость на воде подчас сводит людей с ума, хотя ни разу не видел призрачного сёрфингиста собственными глазами. По слухам, некоторым идиотам казалось хорошей идеей поставить катер на полную тягу, после чего бросить штурвал, перепрыгнуть на доску и катить по волнам. Джексон считал подобные рассказы мифами, но этой ночью поступил вызов по номеру 911.

Впрочем, прибыв на место, никаких призрачных сёрфингистов он не обнаружил, только парнишку, штурмовавшего волны со своим родителем за штурвалом, и страдающего куриной слепотой туриста, который его и вызвал.

«Ну и ладно, — подумал Джеймс, — проведу еще одну ночь на воде». Такая работенка, безусловно, была получше его прежней — в полиции Майами. Теперь самыми опасными преступниками среди тех, с кем ему приходилось иметь дело, были отдыхающие, недооценившие результат совместного воздействия рома и солнца. Сделав внушение отцу и сыну по поводу опасности ночных занятий водными видами спорта, Джексон предложил им снизить скорость и полюбоваться звездами.

И вдруг впереди появилась приличной величины яхта, направлявшаяся в его сторону.

73

После того как зашевелились пальцы на руках и ногах, Меган ощутила, как пробуждается все тело. Ум прояснился, зрение впитывало все детали. Она не смела шевельнуться, однако незаметно напрягала и расслабляла мышцы, чтобы убедиться в их готовности.

Ник прекратил болтать и теперь что-то бубнил себе под нос. Уайт почувствовала, что ее замутило — не от переработанного организмом лекарства, а оттого, насколько счастливым он казался. Ей вспомнился укол в шею, и паника волной охватила ее. Не повредит ли это ребенку? Но женщина заставила себя на время забыть об этом. Прежде следовало сосредоточиться. Если она не сумеет сбежать с этой лодки, ни у нее, ни у ребенка не останется ни малейшего шанса.

Меган ощутила на себе взгляд похитителя и постаралась сохранить неподвижную позу, уставившись на звезды.

Сам же Ник откинулся назад в капитанском кресле, поерзал. Не найдя удобного положения, заерзал снова, а устроившись, достал засунутый за пояс пистолет и положил его возле штурвала.

Внимание его теперь было обращено на управление лодкой, и Меган повернула голову. Мысли уже сделались кристально чистыми, и она попыталась оценить обстановку. Пистолет лежал на консоли справа от рулевого колеса, однако она понимала, что первой схватить его ей не удастся. Возле поручней, неподалеку от нее, лежал похожий на молоток предмет. Гуманизатор, если она не ошиблась. В прошлом году они с Джеффом ездили на рыбалку и подобной штукой глушили пойманную рыбу, вытащенную из воды и извивавшуюся на дне лодки. Если она сумеет ударить им Ника, то появится шанс схватить пистолет. «И тогда я застрелю его недрогнувшей рукой», — поклялась она себе.

Через несколько секунд перед нею открылась, как ей показалось, возможность. Взяв сотовый в правую руку, Янг попытался прочесть сообщение, одновременно управляя яхтой левой рукой. Меган осторожно спустила ноги с глубокого кожаного кресла, пошатываясь, сделала несколько неслышных шагов в сторону молотка, нагнулась и схватила его. Руки и ноги противились требованиям разума. Впрочем, ей уже случалось испытывать подобное чувство. Как-то раз в студенческой компании они пили текилу. Потом Аманда и Кейт тащили ее домой, а она пыталась заставить ноги идти.

Теперь ей снова нужно включить волю.

Ник вырубил двигатель и сунул мобильник в карман. Что ж, сгодится и здесь, решил он. Надо только достать из каюты гантели. Янг забрал их из спортивного зала отеля — еще одна улика, указывающая полиции на Джеффа.

Однако, поднявшись на ноги, Ник ощутил скользящий удар по правому виску, пошатнулся и рухнул в сиденье. Ошеломленный, он поднял глаза и увидел над собой Меган, готовую нанести новый удар.

Приблизившись, инспектор Джексон невольно ахнул, разглядев роскошную яхту. По всей видимости, суденышко это было одним из самых шикарных среди тех, что предлагаются напрокат в здешних водах. Ночную тишину нарушил треск радиоприемника: тревожный вызов. Маяк, установленный на яхте, выдал ее местоположение. Береговая охрана выслала свой корабль. Яхта арендована неким Ником Янгом, предположительно он вооружен и очень опасен; на борту, возможно, жертва похищения. Джексон включил прожекторы катера и рванул с места в сторону приближавшегося корабля.

Второй удар угодил Нику в скулу и выбил его из капитанского сиденья. Падая, он задел пистолет, упавший на палубу рядом с его рукой. Меган с ужасом увидела, что он приходит в себя и тянет руку к оружию. Послышался звук мотора приближавшегося катера. Неужели помощь? Однако ждать было нельзя. Пистолет через считаные секунды окажется в руке Янга, и он немедленно застрелит ее.

Посланная Ником пуля пролетела в считаных дюймах у ее шеи. Последним отчаянным движением, думая только о том, чтобы сохранить жизнь ребенка, Меган перевалилась через поручень, прижимая руки к животу, и полетела в черную воду.

74

Инспектор Джексон заметил огни приближающихся катеров береговой охраны. До слуха донесся выстрел, и с яхты в воду бросился темный силуэт. Джеймс немедленно включил переносной прожектор, который держал наготове, и направил его на место падения.

На его глазах другая фигура перегнулась через борт и принялась палить туда.

Ник видел луч прожектора с подошедшего катера, слышал голос, обращавшийся к нему через мегафон, но мог думать только об одном: нужно убить Меган.

Темная вода за бортом разошлась волнами. Он выстрелил раз, другой, третий...

Уайт ощутила, как холодная и черная вода сомкнулась над головой. Оставалось только продержаться под водой, насколько хватит дыхания. Все вокруг стало абсолютно нереальным. Женщина надеялась, что ей хватит силы в руках и ногах для того, чтобы вынырнуть на поверхность. Сверху доносились глухие отголоски ударов. Выстрелы.

Ник уже готов был выстрелить снова, когда палубу яхты затопил ослепительный свет.

— Ник Янг, вы арестованы! — услышал он. — Брось оружие, руки за голову или ты покойник!

Чувствуя, что легкие вот-вот лопнут, Меган лихорадочно двигала руками и ногами, пока, наконец, голова ее не оказалась над поверхностью. Глотнув воздуха, она увидела освещенную ярким светом фигуру Ника, поднявшего руки и склонившего голову. Луч другого прожектора тут же уперся в нее саму. Чей-то голос прокричал:

— Оставайтесь на месте! Мы идем за вами!

«Я сделала это, — подумала женщина, вновь прикасаясь рукой к животу. — С нами все в порядке. Со мной, с тобой и с Джеффом... с нами троими все теперь будет хорошо».

ЭПИЛОГ

Месяц спустя

Лори посмотрела на отражения огней, плясавшие в воде Ист-ривер, и подумала, что ей будет не хватать этого зрелища. И вообще, многого будет не хватать.

— Вот ты где! — воскликнул внезапно появившийся возле нее Алекс. — Пойдем-ка в мою берлогу! Наше шоу вот-вот начнется.

— Как тебе прекрасно известно, я его уже видела, — улыбнулась Моран в ответ.

Учитывая размер аудитории, Бакли удачно предложил для первого просмотра передачи свои апартаменты. К съемочной бригаде и семейству Лори присоединились Сандра и Уолтер Пирсы, гостившие в Нью-Йорке у Шарлотты и принявшие приглашение просмотреть программу вместе со всеми остальными. Присутствовал там и брат Алекса, Эндрю. Похоже, пришло время, чтобы Моран, наконец, познакомилась с ним.

Подав коктейли, Рамон тут же явился с внушительным блюдом, полным самых разнообразных закусок.

Последовав за Алексом в берлогу, Лори обнаружила, что Тимми и отец уже зарезервировали для нее место между собой на уютном диване. Прошел ровно месяц после того, как новость о драматичном аресте Ника Янга ракетой пронеслась по страницам газет, телеэкранам и Интернету. Бретт, конечно же, поначалу был разочарован, полагая, что обычные горячие новости в пух и прах разнесли весь замысел Лори.

Но, поскольку Моран заключила эксклюзивные договоры со всеми участниками шоу, ни один другой медийный источник не располагал никакими подробностями случившегося. Кроме того, Джефф и Остин вновь появились перед камерами, чтобы рассказать обо всех случаях, когда, по их мнению, Ник казался более приятным человеком, чем был на самом деле. И Лори даже уговорила дать интервью саму следователя Хенсон.

— Первым делом он обратился за помощью к адвокатам, — деловитым тоном сообщила публике детектив. — И даже позволял себе насмехаться, утверждая, что может нанять себе дюжину самых лучших адвокатов страны, в десять раз лучше вас, мистер Бакли, — его слова, не мои. Однако я сказала ему, что количество нанятых защитников меня не волнует: он все равно будет осужден, по меньшей мере за убийство Аманды и попытку убийства Меган. Я дала ему привести адвокатов. Ничего больше он сделать не мог. А потом начал рыдать и обвинять во всем жертв.

Самой волнующей среди всех оказалась душераздирающая повесть, рассказанная Меган о своем похищении с пристани отеля «Гранд Виктория».

— Мне так хотелось криком позвать на помощь, однако никто не услышал бы меня за шумом океанских волн. И тут я увидела пистолет. Мне нужно было решить, что делать, за одно мгновение. Я могла думать только о нашем ребенке.

Накануне просмотра Джефф прислал Лори письмо по электронной почте и сообщил, что они ждут девочку и намереваются назвать ее Лорой.

«Без вас и вашей группы я до конца дней своих остался бы подозреваемым в смерти Аманды», — написал ей Джефф.

Моран редактировала видеозапись уже столько раз, что наизусть знала каждое слово. Она знала и то, что заключительный пассаж Алекса займет в точности девяносто четыре секунды.

— Как сообщил нам отставной криминалист ФБР, мотивом преступлений Ника Янга являлась ненависть — зависть к той романтической любви, которой, как был он уверен, у него самого никогда не будет. Ему казалось, что отвергнувшие его женщины вешаются на шею Джеффа Хантера. Сегодня Ник Янг ночует за решеткой по выдвинутому против него в трех штатах обвинению в убийстве двух женщин и покушению на убийство третьей. Что ж, пусть женщины нашей страны заснут спокойно.

По экрану еще плыли строки благодарности, когда телефон Лори начал звонить. Должно быть, звонили не только ей, но и Бретту, потому что он воскликнул:

— Твиттер взорвался! Мы в тренде! Это наш самый лучший выпуск!

Сообщения, появлявшиеся на экране телефона Моран, значили для нее больше, чем самая мощная шумиха. Первое пришло от Кейт Фултон: «*Плачу по Аманде, но рада тому, что вы, наконец, принесли мир ее семье и друзьям. Спасибо вам... спасибо за все*». Никто не узнал о той ночи, которую она провела с Генри

Пирсом пять лет назад в отеле «Гранд Виктория». И не узнает, пока это зависит от Лори.

Короткое сообщение прислал даже Остин Пратт: «*Объявил о помолвке. Она — волшебница в области техники, именно то, что мне нужно. Меняю девиз с «Одинокого голубя» на «Влюбленных голубков»*».

Следующее письмо пришло от Джеффа: «*Все еще приходим в себя. Но пытаемся жить дальше. Слава богу, с Меган все хорошо, ждем не дождемся малыша! Спасибо всем вам за все*».

Семейство Пирсов настояло, чтобы Хантер воспользовался наследством Аманды. Она была бы рада, чтобы деньги достались Святому Джеффри. Джефф рассыпался в благодарностях и сообщил, что эти деньги позволят ему остаться на посту общественного защитника, работе, к которой лежало его сердце. Он получил возможность прокормить семью, не обращаясь к частной практике.

Когда Сандра и Уолтер поднялись с дивана, Лори не могла не отметить, что они весь вечер держали друг друга за руки.

А когда Пирсы уходили, Шарлотта шепнула благодарность Моран на ухо. И спросила:

— Так что, выпьем в четверг?

К удивлению продюсера, Шарлотта пригласила ее на ланч после возвращения съемочной группы из Палм-Бич. Она сказала, что, по ее мнению, две такие деловые женщины, как они, вполне могут поддерживать общение в свободное время. И оказалась права. После смерти Грега Лори впервые обзавелась новой подругой.

— Само собой, — ответила она.

* * *

Прощаясь возле двери, Алекс от души обнял Тимми. Лори пыталась вести себя так, будто все в порядке, однако, предупреждая отца, чтобы они с ребенком подождали ее в вестибюле, она ощущала комок в горле.

Когда же она осталась последней из гостей, хозяин глянул на Рамона и Эндрю так, что оба немедленно разбежались по спальням.

— Итак... — грустным тоном промолвил Алекс.

— Ну, все-таки ты уезжаешь не за тысячи миль.

— Не за тысячи. Но я же говорил тебе, что взял некоторые дела в федеральных судах, и в ближайшие месяцы мне придется много попутешествовать.

Лори посмотрела вниз, на пол, и впервые заметила, насколько красив постеленный в прихожей коврик. Увидит ли она его еще раз?

Все по-прежнему обстояло именно так, как она сказала своему отцу: если этому суждено быть, значит, все должно произойти естественным образом. Не нужно усложнять. Однако в сердце своем женщина знала, что все не так. Ведь это она сама не давала ходу их отношениям. И Алекс покидал шоу вовсе не потому, что оно мешало его адвокатской деятельности. Он уходил потому, что любил ее. Лори отказывала ему и знала причину: она до сих пор тосковала по Грегу. И не была еще готова заменить его другим человеком.

— Обратил внимание на Уолтера и Сандру? — Моран понимала, что ищет какую-то тему для разговора, чтобы оттянуть время прощания. — Похоже, они помирились. Некоторые пары все-таки в самом деле половинки целого.

— А другие способны образовать пару больше одного раза, — проговорил Бакли. — Посмотри на Джеффа. Он любил Аманду, а теперь любит Меган. И ты видишь, как они счастливы.

Лори прекрасно поняла, что он хочет этим сказать.

— Спокойной ночи, Алскс.

Они обнялись в прихожей, и он нежно поцеловал ее в губы — лишь раз.

Моран даже не представляла, о чем он сейчас думает. А он вспоминал строчку из своей любимой песни: «*Любви твоей ко мне — бог в помощь*»[1].

* * *

Тимми ожидал ее в вестибюле, стараясь скрыть невольную улыбку.

Лори не могла представить себе, чтобы что-то кроме этого зрелища могло заставить ее улыбнуться в такой момент.

— Мам, — объявил мальчик схидно, — мне очень жаль всех моих друзей.

— С чего бы вдруг? — Моран посмотрела на Лео, пытаясь прочитать на его лице намек на готовящуюся шутку, однако тот держался абсолютно невозмутимо.

— Потому что их мамы не такие крутые, как ты. Ты ловишь плохих парней, — объявил ребенок.

---

[1] Из песни «Unchained Melody», наиболее известной в исполнении дуэта «The Righteous Brothers».

Когда он обнял ее, Лори решила, что не знала лучшего объятия, и поняла, что с уверенностью смотрит в завтра. Она уже нашла свое следующее дело. Молодая женщина попала в тюрьму за преступление, которого не совершала, и Моран намеревалась доказать ее невиновность.

А Алекс... «Когда сердце мое оттает окончательно, прошу тебя, Боже, пусть он окажется рядом!»

Литературно-художественное издание

Мэри Хиггинс Кларк
Алафер Бёрк

ВСЯ В БЕЛОМ

Ответственный редактор *Д. Субботин*
Редактор *Т. Алексеева*
Художественный редактор *С. Власов*
Технический редактор *Г. Романова*
Компьютерная верстка *Е. Кумшаева*
Корректор *Е. Сахарова*

ООО «Издательство «Э»
123308, Москва, ул. Зорге, д. 1. Тел. 8 (495) 411-68-86.
Өндіруші: «Э» АҚБ Баспасы, 123308, Мәскеу, Ресей, Зорге көшесі, 1 үй.
Тел. 8 (495) 411-68-86.
Тауар белгісі: «Э»
Қазақстан Республикасында дистрибьютор және өнім бойынша арыз-талаптарды қабылдаушының өкілі «РДЦ-Алматы» ЖШС, Алматы қ., Домбровский көш., 3«а», литер Б, офис 1.
Тел.: 8 (727) 251-59-89/90/91/92, факс: 8 (727) 251 58 12 вн. 107.
Өнімнің жарамдылық мерзімі шектелмеген.
Сертификация туралы ақпарат сайтта Өндіруші «Э»
Сведения о подтверждении соответствия издания согласно законодательству РФ о техническом регулировании можно получить на сайте Издательства «Э»
Өндірген мемлекет: Ресей
Сертификация қарастырылмаған

Подписано в печать 17.01.2017. Формат 80×100 1/32.
Гарнитура «Petersburg». Печать офсетная. Усл. печ. л. 14,81.
Тираж 3000 экз. Заказ 6992/17.

Отпечатано в соответствии с предоставленными материалами в ООО «ИПК Парето-Принт», 170546, Тверская область, Промышленная зона Боровлево-1, комплекс №3А, www.pareto-print.ru

Оптовая торговля книгами Издательства «Э»:
142700, Московская обл., Ленинский р-н, г. Видное,
Белокаменное ш., д. 1, многоканальный тел.: 411-50-74.

По вопросам приобретения книг Издательства «Э» зарубежными оптовыми покупателями обращаться в отдел зарубежных продаж
International Sales: International wholesale customers should contact Foreign Sales Department for their orders.

По вопросам заказа книг корпоративным клиентам, в том числе в специальном оформлении, *обращаться по тел.: +7 (495) 411-68-59, доб. 2261.*

Оптовая торговля бумажно-беловыми и канцелярскими товарами для школы и офиса:
142702, Московская обл., Ленинский р-н, г. Видное-2,
Белокаменное ш., д. 1, а/я 5. Тел./факс: +7 (495) 745-28-87 (многоканальный).

Полный ассортимент книг издательства для оптовых покупателей:
В Санкт-Петербурге: ООО СЗКО, пр-т Обуховской Обороны, д. 84Е.
Тел.: (812) 365-46-03/04.
В Нижнем Новгороде: 603094, г. Нижний Новгород, ул. Карпинского, д. 29, бизнес-парк «Грин Плаза». Тел.: (831) 216-15-91 (92/93/94).
В Ростове-на-Дону: ООО «РДЦ-Ростов», 344023, г. Ростов-на-Дону, ул. Страны Советов, 44 А. Тел.: (863) 303-62-10.
В Самаре: ООО «РДЦ-Самара», пр-т Кирова, д. 75/1, литера «Е».
Тел.: (846) 269-66-70.
В Екатеринбурге: ООО«РДЦ-Екатеринбург», ул. Прибалтийская, д. 24а.
Тел.: +7 (343) 272-72-01/02/03/04/05/06/07/08.
В Новосибирске: ООО «РДЦ-Новосибирск», Комбинатский пер., д. 3.
Тел.: +7 (383) 289-91-42.
В Киеве: ООО «Форс Украина», г. Киев,пр. Московский, 9 БЦ «Форум».
Тел.: +38-044-2909944.

Полный ассортимент продукции Издательства «Э» можно приобрести в магазинах «Новый книжный» и «Читай-город».
Телефон единой справочной: 8 (800) 444-8-444.
Звонок по России бесплатный.

В Санкт-Петербурге: в магазине «Парк Культуры и Чтения БУКВОЕД», Невский пр-т, д.46. Тел.: +7(812)601-0-601, www.bookvoed.ru

Розничная продажа книг с доставкой по всему миру.
Тел.: +7 (495) 745-89-14.

ISBN 978-5-699-93804-9

Grand
BAHIA PRINCIPE
HOTELS & RESORTS
Billy